한중일영

중국어 HSK 1,2,3,4,5 급
필수 단어
간체자, 일본어, 한국어, 영어 비교

꿈그린 어학연구소

발 행 2024년 3월 9일

저 자 꿈그린 어학연구소

펴낸곳 꿈그린

E-mail kumgrin@gmail.com

ISBN   979 - 11 - 93488-04-1

ⓒ 꿈그린 어학연구소 2024

한중일영

중국어 HSK 1,2,3,4,5 급
필수 단어
간체자, 일본어, 한국어, 영어 비교

꿈그린 어학연구소

머리말

　이 책은 한어수평고시(汉语水平考试) HSK1-5급까지의 필수 어휘를 한어병음과 함께 소개함과 동시에 이에 해당하는 일본어와 한국어, 영어의 번역을 대조해 놓은 책입니다. 따라서 이 책은 HSK 시험을 통과하기 위해 해당 간체자 단어들을 공부하고자 하면서도 정체자 한자 및 일본어나 영어에 이미 지식이 있거나 흥미가 있는 독자들을 위한 책입니다.

　한자의 영향을 받은 우리 한국어는 물론 일본어를 공부한 적이 있는 독자라면 중국어, 일본어, 한국어에서 한자를 기반으로 한 많은 어휘가 상당한 유사성을 보인다는 것을 느끼실 겁니다. 이러한 면에서, 유럽 언어의 라틴어와 마찬가지로 한자를 공부하는 것은 우리 한국말을 잘 이해하는 것에 그치지 않고 일본어나 기타 한자권의 아시아언어를 배울 때 매우 편리합니다. 따라서 각 아시아 국가의 한자 어휘를 비교하는 것은 어휘력 확장을 쉽게 함과 동시에 한자문화권의 외국어 능력을 기르는데 큰 도움이 될 수 있습니다.

　여러 단어를 다개국어로 비교하기 위해서는 기초부터 심화까지 아우르는 검증된 단어의 모음이 필요하였기에, 이를 위해 한어수평고시의 필수 어휘가 선택되었습니다. 즉 HSK 필수 어휘는 다중언어 비교를 위해 선정된 하나의 기준으로, 이 책을 통해 중국어만 공부하기보다는 일본어와 영어, 한국어로 HSK 단어들이 어떻게 번역되는지 알고 싶은 분들에게 이 책을 추천합니다.

　일본어의 신체자뿐만 아니라, 같은 의미의 한국 한자어의 경우 정자로도 표시를 하여, 중국어의 간체자가 어떻게 한국과 일본에서 쓰이는지 확인할 수 있도록 하였습니다. 특히 해당 한자가 한국어나 일본어에서도 똑같이 쓰이는 경우 행 전체에 하이라이트 표시를 해 놓음으로써, 같은 한자가 3개 국에서 발음만 약간 다를 뿐 똑같이 쓰이고 있음을 직관적으로 알 수 있게 하였습니다.

　이 HSK 어휘집은 HSK 레벨 시험을 준비할 뿐만 아니라 영어, 일본어, 한국어로 어휘력을 동시에 확장할 수 있는 훌륭한 출발점이 됩니다. 이 책을 통해 중국어 공부는 물론 이미 알고 계시는 언어와의 연결 고리를 찾아보는 즐거운 경험이 되기를 바랍니다.

2023년 11월
꿈그린 어학연구소

차 례

HSK 1급
필수 어휘

중국어, 일본어,
한국어, 영어 대조

꿈그린 어학연구소

爱	[ài]	愛[あい]する	사랑하다, 좋아하다	love
八	[bā]	八[はち]	여덟, 팔	eight
爸爸	[bà·ba]	お父さん	아빠, 아버지	dad
杯子	[bēi·zi]	コップ	컵, 잔	cup
北京	[Běijīng]	ペキン	베이징	Beijing
本	[běn]	冊[さつ]	권	book
不	[bù]	～ではない	(동사, 형용사, 부사 앞에서 부정 나타냄)	not
不客气	[búkè·qi]	どういたしまして	천만에요	You're welcome.
菜	[cài]	おかず	반찬, 음식	dish
茶	[chá]	お茶[ちゃ]	차(茶)	tea
吃	[chī]	食[た]べる	먹다	eat
出租车	[chūzūchē]	タクシー	택시	taxi
打电话	[dǎ diànhuà]	電話[でんわ]をかける	전화를 걸다	make a phone call
大	[dà]	大きい	크다, 넓다	big
的	[·de]	～の	~한, ~의	of
点	[diǎn]	～時[じ]	시(시간단위)	hour
电脑	[diànnǎo]	コンピューター	컴퓨터	computer
电视	[diànshì]	テレビ	텔레비전	TV
电影	[diànyǐng]	映画[えいが]	영화	movie
东西	[dōng·xi]	もの	물건	thing
都	[dōu]	全[すべ]て	모두, 전부	all
读	[dú]	読[よ]む	읽다, 낭독하다	read
对不起	[duì·bu qǐ]	ごめんなさい	미안합니다	sorry
多	[duō]	たくさん, どれだけ	많다, 얼마나	a lot of, how
多少	[duō·shao]	いくつ	얼마, 몇	somewhat

儿子	[ér·zi]	息子[むすこ]	아들	son
二	[èr]	二[に]	이, 둘	two
饭店	[fàndiàn]	ホテル	호텔, 식당	hotel, restaurant
飞机	[fēijī]	飛行機 [ひこうき]	비행기	airplane
分钟	[fēnzhōng]	分[ぶん]	분(시간단위)	minute
高兴	[gāoxìng]	嬉[うれ]しい	기쁘다, 즐겁다	happy, enjoy
个	[gè]	個[こ]	개, 명 (개개의 사람, 물건을 세는 단위)	individual
工作	[gōngzuò]	働[はたら]く, 仕事[しごと]	일하다, 직업, 일	work, job
狗	[gǒu]	イヌ	개	dog
汉语	[Hànyǔ]	中国語	중국어	Chinese
好	[hǎo]	よい	좋다	good
号	[hào]	（人数/取引の回数を数える)	번(차례, 순서를 나타내는 단위)	order, name
喝	[hē]	飲[の]む	마시다	drink
和	[hé]	～と	~와(과)	with
很	[hěn]	とても	매우, 대단히	very
后面	[hòumiàn]	後[うし]ろ	뒤, 뒤쪽	back
回	[huí]	帰[かえ]る	들어오다, 되돌아가다	return
会	[huì]	～できる	~할 수 있다, 할 것이다	can
几	[jǐ]	いくつ	몇	how many
家	[jiā]	家[いえ]	가정, 집 (집, 회사, 공장 세는 단위)	family, home
叫	[jiào]	～と呼ぶ	외치다, 부르다, ~하게하다	call

今天	[jīntiān]	今日[きょう]	오늘	today
九	[jiǔ]	九[きゅう]	구, 아홉	nine
开	[kāi]	開[ひら]く	열다, 켜다	open
看	[kàn]	見る	보다	look at
看见	[kàn·jiàn]	見える	보이다, 보다	see
块	[kuài]	塊[かたまり]	덩이, 조각 (덩어리로 된 물건 세는 단위)	lump, piece
来	[lái]	来る	오다	come, happen
老师	[lǎoshī]	先生	선생님	teacher
了	[·le]	（動作の変化. 完了, 状態の変化を示す）	(동사, 형용사 뒤에서 동작의 완료나 새로운 상황의 출현을 나타냄)	(a particle that implies past tense or completion of something)
冷	[lěng]	寒い	춥다	cold
里	[lǐ]	中, 内[うち]	가운데, 안쪽	inside, in
六	[liù]	六[ろく]	육, 여섯	six
妈妈	[mā·ma]	お母さん	엄마, 어머니	mom
吗	[·ma]	（疑問を表す）	(문장 끝에서 의문의 어기 나타냄)	(a particle used at the end of the question)
买	[mǎi]	買[か]う	사다	buy
猫	[māo]	ネコ	고양이	cat
没关系	[méiguān·xi]	構[かま]わない	괜찮다, 문제 없다	It doesn't matter.
没有	[méi·yǒu]	ない	않다	not have, there is not
米饭	[mǐfàn]	ご飯	쌀밥	cooked rice
名字	[míng·zi]	名字[みょうじ]	이름	name
明天	[míngtiān]	明日[あした]	내일	tomorrow
哪	[nǎ]	どの, どれ	어느	which

哪儿	[nǎr]	どこ（の）	어디, 어느 곳	where
那	[nà]	あの，その	그(것), 저(것)	that
呢	[·ne]	（文末に用いて確認の語気, 状態の継続を表す）	(문장 끝에서 동작, 상황의 지속 혹은 강조의 어기를 나타냄)	(a particle used for emphasis in a question)
能	[néng]	～できる	할 수 있다, 할 줄 안다	can
你	[nǐ]	あなた	너, 당신	you
年	[nián]	年[ねん]	년(年), 해	year
女儿	[nǚ'ér]	娘[むすめ]	딸	daughter
朋友	[péng·you]	友達[ともだち]	친구	friend
漂亮	[piào·liang]	きれい	예쁘다, 아름답다	good-looking
苹果	[píngguǒ]	リンゴ	사과	apple
七	[qī]	七[しち]	칠, 일곱	seven
前面	[qián·mian]	前	전면, 앞쪽	the front
钱	[qián]	お金	돈, 화폐	money
请	[qǐng]	お願いする	청하다, 부탁하다	ask, invite
去	[qù]	行く	가다	go
热	[rè]	熱[あつ]い	덥다, 뜨겁다	hot
人	[rén]	人	사람, 인간	human
认识	[rèn·shi]	知っている	알다, 인식하다	know
三	[sān]	三[さん]	삼, 셋	three
商店	[shāngdiàn]	商店[しょうてん]	상점(商店)	shop
上	[shàng]	上	위	upper part
上午	[shàngwǔ]	午前[ごぜん]	오전(午前)	morning
少	[shǎo]	少ない	적다, 모자라다	few
谁	[shéi]	だれ	누구	who

什么	[shén·me]	なに	무슨, 무엇	what, something
十	[shí]	十	십, 열	ten
时候	[shí·hou]	~時, 頃	때, 무렵	time
是	[shì]	~です, ~である	~이다	be
书	[shū]	本	책	book
水	[shuǐ]	水	물	water
水果	[shuǐguǒ]	果物[くだもの]	과일	fruit
睡觉	[shuì jiào]	眠る	자다	sleep
说	[shuō]	話す	말하다	speak
四	[sì]	四[し]	사, 넷	four
岁	[suì]	とし	살, 세	year
他	[tā]	彼	그(남자), 그 사람	he
她	[tā]	彼女	그녀, 그 여자	she
太	[tài]	あまりにも	대단히, 너무	too, highest
天气	[tiānqì]	天気[てんき]	날씨	weather
听	[tīng]	聞く	듣다	listen to
同学	[tóngxué]	同級生 [どうきゅうせい]	학우, 동급생(同級生)	classmate
喂	[wèi]	もしもし	여보세요	hello(phone)
我	[wǒ]	私[わたし]	나	I
我们	[wǒ·men]	我々	우리(들)	we, us
五	[wǔ]	五[ご]	오, 다섯	five
喜欢	[xǐ·huan]	喜[よろこ]ぶ	좋아하다, 즐거워하다	like
下	[xià]	下	밑, 아래	go down, fall
下午	[xiàwǔ]	午後[ごご]	오후(午後)	afternoon
下雨	[xià yǔ]	雨が降る	비가 내리다	rain
先生	[xiān·sheng]	~さん	씨	mr.
现在	[xiànzài]	現在[げんざい]	현재(現在)	now

想	[xiǎng]	～したい, ～しようと思う	하고 싶다, 하려고 하다	think, want to
小	[xiǎo]	小さい	작다	small
小姐	[xiǎo·jie]	（女性に対する） ～さん	아가씨, 젊은 여자	young lady
些	[xiē]	いくらか	조금, 약간, 몇(형용사, 일부 동사 뒤, 명사 앞에서 불확실한 수량을 표시)	a little
写	[xiě]	書[か]く	글씨를 쓰다	write
谢谢	[xiè·xie]	ありがとう ございます	감사합니다	thank you
星期	[xīngqī]	週[しゅう]	요일, 주	week
学生	[xué·sheng]	学生[がくせい]	학생(學生)	student
学习	[xuéxí]	学ぶ	학습(學習)하다, 공부하다, 배우다	study
学校	[xuéxiào]	学校[がっこう]	학교(學校)	school
一	[yī]	一[いち]	일, 하나	one
一点儿	[yìdiǎnr]	少し	조금, 약간	a bit
衣服	[yī·fu]	服	의복(衣服), 옷	clothes
医生	[yīshēng]	医師[いし]	의사(醫師)	doctor
医院	[yīyuàn]	病院 [びょういん]	의원(醫院), 병원(病院)	hospital
椅子	[yǐ·zi]	椅子[いす]	의자(椅子)	chair
有	[yǒu]	ある，いる	있다, 소유하다	have
月	[yuè]	月[げつ]	달, 월	month, the moon
再见	[zàijiàn]	さようなら	또 뵙겠습니다	bye
在	[zài]	～がある	에 있다, 존재하다, ~에(서)	live, be

怎么	[zěn·me]	どう	어떻게, 어째서	how
怎么样	[zěn·meyàng]	どんな, どういう	어떠하다, 별로~않다	how about
这	[zhè]	これ	이, 이것	this
中国	[Zhōngguó]	中国[ちゅうごく]	중국(中国)	China
中午	[zhōngwǔ]	昼[ひる]ごろ	정오	noon
住	[zhù]	住[す]む	살다, 거주하다	live
桌子	[zhuō·zi]	机[つくえ]	탁자, 테이블	table
字	[zì]	字[じ]	문자, 글자	character
昨天	[zuótiān]	きのう	어제	yesterday
坐	[zuò]	座[すわ]る	앉다, (탈 것에)타다	sit
做	[zuò]	作[つく]る	하다, 만들다	do, make

吧	[·ba]	（文末に用いて提案, 要求, 命令の意味を表す）	(구말에 쓰여 추측, 제안, 기대, 명령 등의 어기를 나타냄)	(a particle used at the end of the sentence to indicate discussion, suggestion, request, instruction)
白	[bái]	白い	희다	white
百	[bǎi]	百[ひゃく]	백	100
帮助	[bāngzhù]	手伝う	돕다	help
报纸	[bàozhǐ]	新聞[しんぶん]	신문	newspaper
比	[bǐ]	比べる	~에 비해, ~보다, 비교하다	compare
别	[bié]	〜するな	~하지마라, 이별하다	Don't
宾馆	[bīnguǎn]	ホテル	여관, 영빈관, 호텔	hotel
长	[cháng]	長い	(길이,시간) 길다	long, length
唱歌	[chàng gē]	歌を歌う	노래를 부르다	sing
出	[chū]	出る	나가다. 나오다	go out
穿	[chuān]	服を着る	입다, 신다, 뚫다	wear
次	[cì]	〜回	차례, 번, 회	time(measure word)
从	[cóng]	〜より, 〜から	좇다, ~부터, ~을 기점으로	from, follow
错	[cuò]	間違い	틀리다	incorrect
打篮球	[dǎ lánqiú]	バスケットボールをする	농구를 하다	play basketball
大家	[dàjiā]	みんな	모두	everybody
到	[dào]	到着[とうちゃく]する	도착하다, 도달하다	arrive

15

得	[·de]	～するのが～だ	(동사, 형용사 뒤에 쓰여 결과, 정도 나타내는 보어와 연결)	(a particle used at the end of the verb to describe capability or possibility)
等	[děng]	待つ	기다리다	wait
弟弟	[dì·di]	弟[おとうと]	남동생	younger brother
第一	[dìyī]	第一[だいいち]	제(第)1	first
懂	[dǒng]	わかる	알다, 이해하다	understand
对	[duì]	正しい	맞다, 옳다, ~에게, ~에 대하여	correct
房间	[fángjiān]	部屋[へや]	방	room
非常	[fēicháng]	非常に	대단히, 매우	very
服务员	[fúwùyuán]	従業員 [じゅうぎょういん]	종업원(從業員)	attendant, waiter
高	[gāo]	高い	높다	high, tall
告诉	[gào·su]	伝える	알리다, 말하다	tell
哥哥	[gē·ge]	兄[あに]	형, 오빠	elder brother
给	[gěi]	あげる	~에게~을 주다	give
公共汽车	[gōnggòng qìchē]	バス	버스	bus
公司	[gōngsī]	会社[かいしゃ]	회사(會社)	company
贵	[guì]	値段が高い	비싸다	expensive
过	[·guo]	(動作を終えることを表す)	(동사 뒤에 쓰여 경험을 나타냄)	have done
还	[hái]	まだ	아직, 여전히	still, yet
孩子	[hái·zi]	子供	아동, 자녀	child
好吃	[hǎochī]	おいしい	맛있다	delicious
黑	[hēi]	黒い	검다	black
红	[hóng]	赤い	붉다, 빨갛다	red

火车站	[huǒchēzhàn]	駅	기차역	train station
机场	[jīchǎng]	空港[くうこう]	공항	airport
鸡蛋	[jīdàn]	卵	계란, 달걀	egg
件	[jiàn]	着[ちゃく] (上着, 文書を数える)	건, 개, 벌 (물건, 셔츠, 사건 세는 단위)	item (measure word)
教室	[jiàoshì]	教室[きょうしつ]	교실(教室)	classroom
姐姐	[jiě·jie]	姉	누나, 언니	sister
介绍	[jièshào]	紹介[しょうかい]	소개(紹介)하다	introduce
进	[jìn]	入る	(밖에서 안으로)들다, 나아가다	advance, enter
近	[jìn]	近い	가깝다	near, close
就	[jiù]	すぐに	곧, 바로	shortly
觉得	[jué·de]	～と思う	~라고 느끼다	feel, think
咖啡	[kāfēi]	コーヒー	커피	coffee
开始	[kāishǐ]	開始[かいし]	시작되다, 개시(開始)하다	start, begin
考试	[kǎoshì]	試験	시험을 치다, (고시考試)	sit an exam
可能	[kěnéng]	可能[かのう]	가능(可能)하다	possible
可以	[kěyǐ]	～できる	~할 수 있다	can
课	[kè]	授業[じゅぎょう]	수업, 강의	class, lesson
快	[kuài]	速い	빠르다	fast, quick
快乐	[kuàilè]	楽しい	즐겁다, 행복하다	happy
累	[lèi]	疲れる	피곤하다, 지치다	tired
离	[lí]	離れる	분리하다, 갈라지다	leave, be far away from
两	[liǎng]	二つ	둘	two
零	[líng]	ゼロ, 零[れい]	영(零)	zero

路	[lù]	道	길, 도로	road
旅游	[lǚyóu]	観光旅行 [かんこうりょこう]	여행하다, 관광하다	tour
卖	[mài]	売る	팔다, 판매하다	sell
慢	[màn]	遅い	느리다	slow
忙	[máng]	忙しい	바쁘다	busy
每	[měi]	それぞれ, ～ごとに	매, 각, ~마다	every, each
妹妹	[mèi·mei]	妹[いもうと]	여동생	younger sister
门	[mén]	ドア	문	door
面条(儿)	[miàntiáo]	そば	국수, 면	noodle
男	[nán]	男	남자	man
您	[nín]	あなたさま	당신, 귀하	you
牛奶	[niúnǎi]	牛乳[ぎゅうにゅう]	우유(牛乳)	milk
女	[nǚ]	女	여성의, 여자의	woman
旁边	[pángbiān]	そば, わき	옆, 근처	side
跑步	[pǎobù]	ランニングを する	달리다	run
便宜	[pián·yi]	安い	싸다	cheap
票	[piào]	きっぷ	표, 티켓	ticket
妻子	[qī·zi]	妻[つま]	아내	wife
起床	[qǐ chuáng]	起きる	일어나다, 기상하다	get out of bed, get up
千	[qiān]	千[せん]	천(千)	1000
铅笔	[qiānbǐ]	鉛筆[えんぴつ]	연필(鉛筆)	pencil
晴	[qíng]	晴れる	하늘이 맑다	fine
去年	[qùnián]	去年[きょねん]	작년	last year
让	[ràng]	～に～させる	~하게하다, 양보하다	make allowances
日	[rì]	日[にち]	일(날짜의 단위), 해	day
上班	[shàn bān]	出勤[しゅっきん]	출근하다	go to work

身体	[shēntǐ]	身体[しんたい]	신체(身體)	body
生病	[sheng bìng]	病気になる	병이 나다, 병에 걸리다	get sick
生日	[shēng·rì]	誕生日[たんじょうび]	생일 (生日)	birthday
时间	[shíjiān]	時間[じかん]	시간 (時間)	time
事情	[shì·qing]	仕事	일, 사건	matter
手表	[shǒubiǎo]	腕時計 [うでどけい]	손목시계	wrist watch
手机	[shǒujī]	携帯電話 [けいたいでんわ]	휴대폰	cell phone
说话	[shuō/huà]	話す	말하다, 이야기하다	talk, chat
送	[sòng]	送る	보내다, 배웅하다	deliver, see...off
虽然... 但是	[suīrán ... dànshì]	～であるが, ～だけれども	비록~하지만~하다	although
它	[tā]	それ, あれ	그, 그것(사람 이외의 것)	it
踢足球	[tīzúqiú]	サッカーをする	축구를 하다	play soccer
题	[tí]	問題[もんだい]	문제(問題)	subject
跳舞	[tiào wǔ]	踊[おど]る	춤을 추다	dance
外	[wài]	外[そと, がい]	바깥, 겉	outside
完	[wán]	おしまいになる	마치다, 끝나다	complete
玩	[wán]	遊ぶ	놀다	play
晚上	[wǎn·shang]	夜	저녁, 밤	evening
往	[wǎng]	～にむけて	~쪽으로, ~을 향해	toward
为什么	[wèishén·me]	なぜ	왜	why
问	[wèn]	問う	묻다	ask
问题	[wèntí]	問題[もんだい]	문제(問題)	question, problem
西瓜	[xīguā]	スイカ	수박	watermelon
希望	[xīwàng]	希望[きぼう]	희망(希望)하다	hope

洗	[xǐ]	洗[あら]う	씻다, 빨다	wash
小时	[xiǎoshí]	時間[じかん]	시간	hour
笑	[xiào]	笑う	웃다	laugh
新	[xīn]	新しい	새롭다	new
姓	[xìng]	姓は～である	성씨가~이다	surname
休息	[xiū·xi]	休息[きゅうそく]	휴식 (休息)	rest
雪	[xuě]	雪[ゆき]	눈	snow
颜色	[yánsè]	色	색, 색깔	color
眼睛	[yǎn·jing]	目	눈	eye
羊肉	[yángròu]	羊肉[ようにく]	양고기	lamb
药	[yào]	薬	약(藥), 약물	medicine, chemical, cure
要	[yào]	要[い]る, ～するつもりだ	~할 것이다, ~하려한다, 중요하다	be about to, need
也	[yě]	～も～だ	~도, 역시	also
一起	[yìqǐ]	一緒に	같이, 함께	together
一下	[yīxià]	～してみる	한번 ~해보다, 좀~하다	at once, try
已经	[yǐ·jing]	すでに	이미, 벌써	already
意思	[yì·si]	意味[いみ]	의미(意味), 뜻, 의사(意思)	meaning, idea
因为...所以	[yīnwèi...suǒyǐ]	～なので	~하기 때문에~하다	because
阴	[yīn]	くもり	흐리다	overcast
游泳	[yóu/yǒng]	泳[およ]ぐ	수영하다	swim, swimming
右边	[yòubian]	右	오른쪽	right
鱼	[yú]	魚	물고기	fish
远	[yuǎn]	遠い	멀다	far
运动	[yùndòng]	運動[うんどう]	운동(運動)(하다)	sport, move

再	[zài]	再び	다시, 재차, 또	again
早上	[zǎo·shang]	朝	아침	morning
丈夫	[zhàng·fu]	夫[おっと]	남편	husband
找	[zhǎo]	探す	찾다	look for
着	[·zhe]	～している	~하는 중이다 (동사 뒤에서 진행 나타냄)	~ing
真	[zhēn]	本当に	참으로, 진실로	true, really
正在	[zhèngzài]	ちょうど ～している	마침~하고 있는 중이다	right now (~ing)
只	[zhī]	ひとつだけの	마리, 쪽, 짝(짐승 및 쌍으로 이루어진 것 중 하나를 세는 단위)	single
知道	[zhī·dào]	わかる	알다, 이해하다	know
准备	[zhǔnbèi]	準備[じゅんび]	준비(準備)하다	prepare
走	[zǒu]	歩く	걷다	walk
最	[zuì]	最も	가장, 제일	most
左边	[zuǒ·bian]	左	왼쪽, 좌측	left

HSK 3급
필수 어휘

중국어, 일본어, 한국어, 영어 대조

꿈그린 어학연구소

阿姨	[āyí]	おばさん	아주머니, 이모	auntie
啊	[a]	（文末に用いて 感嘆を表す）	(문미에서 긍정, 감탄, 찬탄 나타냄)	ah, oh
矮	[ǎi]	低[ひく]い	작다	low, short
爱好	[àihào]	愛好[あいこう]	애호(愛好)(하다), 취미	be keen on
安静	[ānjìng]	安静[あんせい], 静かである	안정(安靜)하다, 조용하다.	quiet, peaceful
把	[bǎ]	つかむ	쥐다, ~으로, ~를 가지고	hold, about
班	[bān]	班[はん]	반(班) 학급	class
搬	[bān]	運ぶ	옮기다, 운반(運搬)하다	move
办法	[bànfǎ]	方法[ほうほう]	방법(方法)	way
办公室	[bàngōngshì]	事務室[じむしつ]	사무실 (事務室)	office
半	[bàn]	半分[はんぶん]	반(半)	half, middle
帮忙	[bang máng]	手伝う	돕다, 도움을 주다	help
包	[bāo]	包[つつ]み	싸다, 보따리	wrap, parcel
饱	[bǎo]	腹いっぱいになる	배부르다	full
北方	[běifāng]	北方[ほっぽう]	북방 (北方)	north
被	[bèi]	被[かぶ]る, ～に～される	이불, ~에게 ~을 당하다(피동)	quilt, meet with
鼻子	[bí·zi]	鼻	코	nose
比较	[bǐjiào]	比較[ひかく]的	비교(比較)적, 상대적으로	compare, relatively
比赛	[bǐsài]	競技[きょうぎ], 試合[しあい]	경기, 시합	match
笔记本	[bǐjìběn]	ノート	노트, 수첩	notebook
必须	[bìxū]	～せねばならない	(필수) 반드시~해야한다	must
变化	[biànhuà]	変化[へんか]	변화(變化)(하다), 달라지다	change
别人	[biérén]	他人[たにん]	타인(他人), 다른 사람	other people
冰箱	[bīngxiāng]	冷蔵庫	냉장고 (冷藏庫)	refrigerator

23

		[れいぞうこ]		
不但… 而且	[búdàn érqiě]	～だけでなく	~뿐만 아니라~하다	not only ... but also
菜单	[càidān]	メニュー	메뉴, 식단	menu
参加	[cānjiā]	参加[さんか]	참가(参加)(하다)	take part in
草	[cǎo]	草[くさ]	풀	grass
层	[céng]	層[そう]	층(層), 겹	floor
差	[chà]	差[さ], 違い	다르다, 차이(差異)나다, 부족하다	mistaken, poor, different
尝	[cháng]	味わう	맛보다, 시험해보다	taste
超市	[chāoshì]	スーパー マーケット	슈퍼마켓	supermarket
衬衫	[chèn shān]	ワイシャツ	셔츠, 블라우스, 와이셔츠	shirt; blouse
成绩	[chéngjì]	成績[せいせき]	성적(成績)	success, score
城市	[chéngshì]	都市[とし]	도시 (都市)	city
迟到	[chídào]	遅刻[ちこく]	지각 (遲刻)	be late
除了	[chúle]	～を除[のぞ]いて	~을 제외하고	except, apart from
船	[chuán]	船[ふね], －せん	배, -선	boat
春	[chūn]	春[はる]	봄	spring
词典	[cídiǎn]	辞典[じてん]	사전 (辭典)	dictionary
聪明	[cōng·ming]	聡明[そうめい], 賢[かしこ]い	총명(聰明)하다, 영리하다	clever
打扫	[dǎsǎo]	掃除[そうじ] する	소제(掃除)하다, 청소(清掃)하다	clean
打算	[dǎ·suàn]	～するつもりで ある	~하려고 하다, 계획하다, 생각, 계획	plan
带	[dài]	持つ, ひも	(몸에)지니다, 휴대하다	strap, take
担心	[dān xīn]	心配する	염려하다, 걱정하다	be worried

蛋糕	[dàngāo]	ケーキ	케이크	cake
当然	[dāng rán]	当然[とうぜん]	당연(當然)히, 물론	of course
地	[·de]	～に	~하게(관형어 단어, 구 뒤에 사용)	by
灯	[dēng]	ランプ	등, 램프	lamp, light
地方	[dìfang]	場所	(지방), 장소, 곳, 자리	place, part, room
地铁	[dìtiě]	地下鉄[ちかてつ]	지하철(地下鐵)	subway
地图	[dìtú]	地図[ちず]	지도(地圖)	map
电梯	[diàntī]	エレベーター	엘리베이터	elevator
电子邮件	[diànzǐ yóujiàn]	電子メール	이메일	email
东	[dōng]	東[ひがし]	동쪽	east
冬	[dōng]	冬[ふゆ]	겨울	winter
动物	[dòng wù]	動物[どうぶつ]	동물(動物)	animal
短	[duǎn]	短[みじか]い	짧다	short
段	[duàn]	段[だん]	(단락, 토막, 사물이나 시간의 한 구분, 일정한 시간, 공간의 거리나 구간)	(measure word) period, piece
锻练	[duànliàn]	鍛練[たんれん]	단련(鍛鍊)하다	exercise
多么	[duō·me]	いかに, なんて	얼마나, 어느 정도	how
饿	[è]	腹が減っている	배고프다	hungry
耳朵	[ěr·duo]	耳 [みみ]	귀	ear
发	[fā]	発送[はっそう]	보내다, 발송(發送)하다	send, emit
发烧	[fā shāo]	熱がある	열이 나다	have a temperature
发现	[fāxiàn]	発見[はっけん]	발견(發見)하다	discover
方便	[fang biàn]	便利である	편리(便利)하다	convenient
放	[fàng]	放[はな]す	놓다, 넣다	release

25

放心	[fang xīn]	安心する	마음을 놓다, 안심하다.	feel relieved, make onself easy
分	[fēn]	分ける	나누다, 분배하다, 1/10, 분	divide, one tenth
附近	[fùjìn]	付近[ふきん]	부근(附近)	nearby
复习	[fùxí]	復習[ふくしゅう]	복습(復習)하다	revise, review
干净	[gānjìng]	きれいな	깨끗하다, 청결하다	clean
感冒	[gǎn mào]	風邪をひく	감기, 감기에 걸리다	catch a cold
感兴趣	[gǎn xìngqù]	興味を持つ	흥미(興味)가 있다	be interested
刚才	[gang·cái]	今さっき	지금 막, 방금	just now
个子	[gè·zi]	背[せ]	키, 체격	stature, height
根据	[gēn·jù]	～によると, 根拠[こんきょ]	근거 (根據)	according to, basis
跟	[gēn]	～と	~와	with
更	[gèng]	更[さら]に	더욱, 훨씬	even more, further
公斤	[gongjīn]	キログラム	킬로그램	kg
公园	[gongyuán]	公園[こうえん]	공원(公園)	park
故事	[gù·shi]	物語	옛날 이야기	story
刮风	[guā fēng]	風が吹く	바람이 불다	(wind) blow
关	[guān]	閉[し]める	닫다, 끄다	close
关系	[guān·xi]	関係[かんけい]	관계(關係)	relation
关心	[guān xīn]	関心[かんしん]	관심(關心)을 갖다	be concerned
关于	[guānyú]	～について	~에 관하여	with reference to, about
国家	[guójiā]	国家[こっか]	국가(國家)	state
过	[guò]	越える	지나다, 경과하다, 건너다	pass through, spend
过去	[guòqù]	過去[かこ]	과거(過去)	the past

还是	[hái·shi]	相変わらず, それとも	아직도, 여전히, 또는, 아니면	still, or
害怕	[hài pà]	恐[おそ]れる	무서워하다, 겁내다	be afraid
黑板	[hēibǎn]	黒板[こくばん]	흑판(黑板)	blackboard
后来	[hòulái]	それから	그 후, 그 다음	afterward
护照	[hùzhào]	パスポート	여권	passport
花	[huā]	花, 使う	꽃, 쓰다, 소비하다	flower, use
画	[huà]	描[えが]く	그림, 그리다	draw, paint
坏	[huài]	悪い	나쁘다	bad
欢迎	[huānyíng]	歓迎[かんげい]	환영(歡迎)하다	welcome
还	[huán]	返す	돌아가다, 갚다, 반납하다	return, repay
环境	[huánjìng]	環境[かんきょう]	환경 (環境)	environment
换	[huàn]	換[か]える	바꾸다, 교환하다	replace, exchange
黄河	[Huánghé]	黄河[こうが]	황허(강)	Yellow River
回答	[huídá]	答える	대답하다, 회답하다	answer
会议	[huìyì]	会議[かいぎ]	회의(會議)	meeting
或者	[huòzhě]	あるいは	아마, 혹은, ~이던가 아니면 ~이다	or, maybe
几乎	[jīhū]	ほとんど	거의, 하마터면	almost
机会	[jī·huì]	機会[きかい]	기회 (機會)	opportunity
极	[jí]	きわめて, とても	아주, 극히, 매우, 정점	extreme, pole
记得	[ji·de]	覚えている	기억하고 있다	remember
季节	[jìjié]	季節[きせつ]	계절(季節)	season
检查	[jiǎnchá]	検査[けんさ]	검사(檢査)하다, 점검하다	examine
简单	[jiǎndān]	簡単[かんたん]な	간단(簡單)하다, 단순하다	simple, casual
见面	[jiànmiàn]	会う	만나다, 대면하다	meet
健康	[jiànkāng]	健康[けんこう]	건강 (健康)하다	healthy

27

讲	[jiǎng]	話す	말하다, 설명하다	speak, explain
教	[jiāo]	教える	가르치다	teach
角	[jiǎo]	角 [かど], 4分の1	귀퉁이, 4분의 1	horn, angle
脚	[jiǎo]	足	발	foot
接	[jiē]	つなぐ	잇다, 접하다, 접근(接近)하다	connect
街道	[jiēdào]	大通り	가도(街道),거리, 큰길	street
节目	[jiémù]	番組, プログラム	종목, 프로그램	program
节日	[jiérì]	祝祭日 [しゅくさいじつ]	기념일, 명절	festival
结婚	[jié hūn]	結婚 [けっこん]	결혼(結婚)하다	get married
结束	[jiéshù]	終わる	끝나다, 마치다	end
解决	[jiějué]	解決 [かいけつ]	해결(解決)하다	resolve
借	[jiè]	借 [か] りる, 貸 [か] す	빌리다, 빌려주다	borrow, lend
经常	[jīngcháng]	常に	언제나, 늘	always, often
经过	[jīngguò]	通る, 経過 [けいか] する	지나다, 경과하다, 경험하다	pass
经理	[jīnglǐ]	社長, マネージャー	지배인, 사장, 경영 관리하다	manager
久	[jiǔ]	久 [ひさ] しい	오래다, 시간이 길다, 오랫동안	long
旧	[jiù]	古い	낡다, 옛날의	old, used
句子	[jù·zi]	文	문장	sentence
决定	[juédìng]	決定 [けってい]	결정(決定)하다	decide
可爱	[kě'ài]	かわいい	귀엽다	adorable
渴	[kě]	のどが渴 [かわ] く	목마르다, 갈증나다	thirsty
刻	[kè]	15分間	15분	quarter

客人	[kè·rén]	客	손님, 방문객	guest
空调	[kōngtiáo]	エアコン	에어컨	air conditioner
口	[kǒu]	口［くち］	입	mouth
哭	[kū]	泣く	울다	cry
裤子	[kù·zi]	ズボン	바지	pants
筷子	[kuài·zi]	箸［はし］	젓가락	chopsticks
蓝	[lán]	青［あお］	남색의, 남빛의	blue
老	[lǎo]	老［お］いる	늙다	old
离开	[lí kāi]	分かれる	떠나다, 벗어나다	leave, depart from
礼物	[lǐwù]	プレゼント	선물, 예물	present
历史	[lìshǐ]	歴史［れきし］	역사 (歷史)	history
脸	[liǎn]	顔［かお］	얼굴	face
练习	[liàn xí]	練習［れんしゅう］	연습(練習)하다, 익히다, 연습문제, 숙제	practice
辆	[liàng]	台	대, 량 (탈 것을 세는 단위)	quantifier, refer to cars
聊天(儿)	[liáo tiān(r)]	おしゃべりする	잡담하다, 한담하다	chat
了解	[liǎojiě]	分かる, 了解［りょうかい］	이해하다, 잘 알다	understand
邻居	[línjū]	隣人［りんじん］	이웃, 이웃집	neighbor
留学	[liú xué]	留学［りゅうがく］	유학(留學)	study abroad
楼	[lóu]	階［かい］	층, 건물	floor, tall building
绿	[lǜ]	緑［みどり］	푸르다	green
马	[mǎ]	馬［うま］	말	horse
马上	[mǎ shàng]	すぐに	곧, 즉시	right away
满意	[mǎnyì]	満足［まんぞく］	만족(滿足)하다	be satisfied
帽子	[mào·zi]	帽子［ぼうし］	모자(帽子)	hat

米	[mǐ]	メートル, コメ	쌀, 미터	rice, meter
面包	[miàn bāo]	パン	빵	rice
明白	[míng·bai]	はっきりした, 分かる	분명히 하다, 명백하다, 이해하다, 알다	clear, understand
拿	[ná]	つかむ, とらえる	쥐다, 잡다, 가지다	hold, capture
奶奶	[nǎi·nai]	おばあさん	할머니	grandmother
南	[nán]	南[みなみ]	남쪽	south
难	[nán]	難しい	어렵다, 힘들다	hard, bad, baffle
难过	[nánguò]	つらい	괴롭다, 슬프다, 고생스럽다	have a hard time, upset
年级	[niánjí]	学年	학년	grade, year
年轻	[nián qīng]	若い	젊다, 어리다	young
鸟	[niǎo]	鳥[とり]	새	bird
努力	[nǔ li]	努力[どりょく]	노력 (努力)	try hard
爬山	[pá shān]	登山[とざん]	등산 (登山)	go climbing, hiking
盘子	[pán·zi]	皿	쟁반	plate
胖	[pàng]	太っている	뚱뚱하다, 살찌다	fat
皮鞋	[píxié]	革靴[かわぐつ]	가죽 구두	leather shoes
啤酒	[píjiǔ]	ビール	맥주	beer
瓶子	[píng·zi]	瓶[びん]	병	bottle
其实	[qíshí]	実は	사실은, 실은	actually
其他	[qítā]	ほかの, その他	기타, 그 외, 다른 사람(사물)	other
奇怪	[qíguài]	奇怪[きかい]だ	기괴(奇怪)하다, 기이하다	strange
骑	[qí]	乗る	(동물, 자전거 등에) 타다, 올라타다	ride
起飞	[qǐfēi]	離陸[りりく]	이륙 (離陸)하다	take off

起来	[qǐ·lái]	立つ	일어나다, 일어서다	get up
清楚	[qīng ·chu]	明らかな	분명하다, 뚜렷하다	clear, understand
请假	[qǐng jià]	休暇を取る	휴가를 신청하다	ask for leave
秋	[qiū]	秋[あき]	가을	autumn
裙子	[qún·zi]	スカート	치마	skirt
然后	[ránhòu]	それから	그런 후에, 그 다음에	afterwards
热情	[rèqíng]	熱情[ねつじょう], 親切な	열정(熱情)적이다, 친절하다	passion, enthusiastic
认为	[rènwéi]	～とみなす	여기다, 생각하다	think
认真	[rèn zhēn]	真剣である	진지하다, 정말로 여기다, 착실하다	serious, take seriously
容易	[róngyì]	容易[ようい]	용이(容易)하다, 쉽다	easy
如果	[rúguǒ]	もし	만약	if
伞	[sǎn]	傘	우산	umbrella
上网	[shàng wǎng]	インターネットをする	인터넷을 하다	go online
生气	[shengqì]	怒る, 生気[せいき]	화내다, 성나다, 생기(生氣)	get angry, vitality
声音	[shēngyīn]	声	소리, 목소리	voice, sound
世界	[shìjiè]	世界[せかい]	세계 (世界)	world
试	[shì]	試す	시험 삼아 해보다, 시험하다	try
瘦	[shòu]	やせる	마르다, 여위다	thin
叔叔	[shū ·shu]	おじ	삼촌, 아저씨	uncle
舒服	[shū·fu]	ここちよい	편안하다, 안락하다	comfortable
树	[shù]	木, 植[う]える	나무, 수목, 심다	tree, cultivate
数学	[shùxué]	数学[すうがく]	수학 (數學)	mathematics
刷牙	[shuāyá]	歯を磨く	이를 닦다	brush one's teeth

双	[shuāng]	二つの	짝, 켤레, 쌍	two, even, pair
水平	[shuǐ píng]	レベル, 水準[すいじゅん], 水平[すいへい]	수준(水準), 수평(水平)	standard, horizontal
司机	[sījī]	運転手[うんてんしゅ]	운전사	driver
太阳	[tàiyáng]	太陽[たいよう]	태양 (太陽)	sun
特别	[tèbié]	特別である	특별하다, 특히	peculiar, exceptionally
疼	[téng]	痛い	아프다	sore
提高	[tí gāo]	高める	제고(提高)하다, 향상시키다	raise
体育	[tǐyù]	体育[たいいく]	체육(體育)	P.E. sport
甜	[tián]	甘い	달다	sweet
条	[tiáo]	細長い枝	줄기, 가닥, 가늘고 긴 것	twig, strip, order
同事	[tóng shì]	同僚[どうりょう]	동료, 함께 일하다	colleague, work together
同意	[tóngyì]	同意[どうい]	동의(同意)	agree
头发	[tóu·fa]	頭髪[とうはつ], 髪の毛	머리카락, 두발(頭髮)	hair
突然	[tūrán]	突然[とつぜん]	돌연(突然)히, 갑작스럽다	sudden, suddenly
图书馆	[túshūguǎn]	図書館 [としょかん]	도서관 (圖書館)	library
腿	[tuǐ]	足	다리	leg
完成	[wán chéng]	完成[かんせい]	완성 (完成)	completed
碗	[wǎn]	碗[わん]	그릇, 사발	bowl
万	[wàn]	まん	만	10000
忘记	[wàng·jì]	忘れる	잊어버리다	forget
为	[wèi]	～のために	~을 위하여, ~에 대해서	for
为了	[wèi·le]	～ために	~을 위하여	in order to

位	[wèi]	位[くらい]	곳, 명, 분	location, position
文化	[wén huà]	文化[ぶんか]	문화(文化)	culture
西	[xī]	にし	서쪽	west
习惯	[xíguàn]	習慣[しゅうかん]	습관 (習慣)	be used to, habit
洗手间	[xǐshǒujiān]	トイレ	화장실	bathroom
洗澡	[xǐ zǎo]	体を洗[あら]う	몸을 씻다	have a bath
夏	[xià]	なつ	여름	summer
先	[xiān]	さきに	우선, 먼저	earlier
相信	[xiāngxìn]	信じる	믿다, 신임하다	believe
香蕉	[xiāngjiāo]	バナナ	바나나	banana
向	[xiàng]	～へ, ～に	~으로 ~을 향하여	to, direction
像	[xiàng]	にている, ～みたいだ	비슷하다, 닮다, ~와 같다	look like
小心	[xiǎo·xīn]	注意[ちゅうい]深い	조심하다. 주의하다, 조심스럽다.	careful
校长	[xiàozhǎng]	校長[こうちょう]	교장(校長)	principal
新闻	[xīnwén]	ニュース	뉴스	news
新鲜	[xīn·xiān]	新鮮[しんせん]	신선(新鮮)하다	fresh
信用卡	[xìnyòngkǎ]	クレジットカード	신용카드	credit card
行李箱	[xíng·lixiāng]	トランク	여행용 가방, 트렁크	bag, case
熊猫	[xióngmāo]	パンダ	판다	panda
需要	[xūyào]	需要[じゅよう]	수요(需要), 필요로 하다	need
选择	[xuǎnzé]	選ぶ	선택하다	choose
要求	[yāoqiú]	要求[ようきゅう]	요구(要求)하다, 요망	demand, request
爷爷	[yé·ye]	おじいさん	할아버지	grandpa

一般	[yìbān]	一般[いっぱん]的である	일반(一般)적이다, 보통이다	ordinary, same
一边	[yìbiān]	～しながら～する	~하면서 ~하다	at the same time
一定	[yídìng]	必ず, きっと	반드시, 필히, 꽤	definite, fixed, definitely
一共	[yígòng]	合わせて	모두, 전부	altogether
一会儿	[yíhuìr]	しばらく, すぐ	짧은 순간, 잠깐, 곧	a while, in an instant, presently, soon
一样	[yíyàng]	同じ	같다, 동일하다	same
一直	[yìzhí]	まっすぐに, ずっと	계속, 줄곧, 똑바로	straight, always, all the way
以前	[yǐqián]	以前[いぜん]	이전 (以前)	before; used to; ago
音乐	[yīnyuè]	音楽[おんがく]	음악(音樂)	music
银行	[yínháng]	銀行[ぎんこう]	은행(銀行)	bank
饮料	[yǐnliào]	飲料[いんりょう] 飲み物	음료(飲料)	drink
应该	[yīnggāi]	～せねばならない	마땅히~해야한다	should
影响	[yǐngxiǎng]	影響[えいきょう]	영향(影響), 영향을 주다	influence, affect
用	[yòng]	用[もち]いる, 使う	쓰다, 사용하다	use
游戏	[yóuxì]	ゲーム	게임, 놀이	game, play
有名	[yǒu míng]	有名[ゆうめい]	유명(有名)하다, 정당한 이유가 있다	famous; renowned; well-known
又	[yòu]	また	또, 다시	again, too, another
遇到	[yù dào]	出会う	만나다, 마주치다	encounter; meet
元	[yuán]	元	위안	yuan

愿意	[yuànyì]	～したい	바라다, 희망하다	be willing to, wish
月亮	[yuè·liang]	月	달	moon
越	[yuè]	～であれば あるほど～	점점~하다	exceed, jump over
站	[zhàn]	立つ	서다, 멈추다	stand, stop
张	[zhāng]	枚	장	page
长	[zhǎng]	生[は]える, 長い	자라다, 생기다	long, length
着急	[zháo jí]	イライラする	조급해하다, 초초해하다	worried
照顾	[zhào·gù]	世話をする, 面倒を見る	보살피다, 돌보다, 고려하다	look after, consider
照片	[zhàopiàn]	写真	사진	photograph
照相机	[zhàoxiàngjī]	カメラ	사진기	camera
只	[zhǐ]	ただ, ～のみ, ～だけ	단지. 다만	only
只有…才	[zhǐyǒu..cái]	～でなければ ～できない	~해야만 비로소 ~하다	only
中间	[zhōngjiān]	中間[ちゅうかん]	중간(中間), 가운데	middle
中文	[Zhōngwén]	中国語	중국어, 중문	Chinese
终于	[zhōngyú]	ついに	마침내, 결국	finally
种	[zhǒng]	種[しゅ]	종, 종류, 부류	species, race, seed
重要	[zhòngyào]	重要[じゅうよう]	중요(重要)	important
周末	[zhōumò]	週末[しゅうまつ]	주말(週末)	weekend
主要	[zhǔyào]	主要[しゅよう]	주요(主要)	major
注意	[zhù yì]	注意[ちゅうい]	주의(注意)하다, 조심하다	be careful
自己	[zìjǐ]	自分[の]	자기, 자신	oneself
自行车	[zìxíng chē]	自転車 [じてんしゃ]	자전거 (自轉車)	bicycle
总是	[zǒngshì]	いつも	줄곧, 언제나	always; ever;

嘴	[zuǐ]	口	입	mouth
最后	[zuìhòu]	最後[さいご]	최후 (最後)	final; last; ultimate
最近	[zuìjìn]	最近[さいきん]	최근 (最近)	recent
作业	[zuòyè]	宿題[しゅくだい]	숙제, 과제	homework

爱情	[àiqíng]	愛情[あいじょう]	애정(愛情)	love, affection
安排	[ānpái]	配置(はいち)する, アレンジする	안배하다 (按配, 按排)	arrange
安全	[ānquán]	安全[あんぜん]	안전(安全)	safe, safety, security
按时	[ànshí]	時間通りに	제때에,시간에 맞춰	on time
按照	[ànzhào]	～の通りに	~에 따라,~에 의해	according to
百分之	[bǎifēnzhī]	パーセント	퍼센트	percentage, percent
棒	[bàng]	かっこいい	(수준이)높다, 훌륭하다	great
保护	[bǎohù]	保護[ほご]する	보호(保護)하다	protect
保证	[bǎozhèng]	保証[ほしょう]	보증(保證)하다	guarantee
报名	[bàomíng]	申し込む	신청하다	sign up
抱	[bào]	抱く	안다,(마음에) 품다	embrace, carry in your arms
抱歉	[bàoqiàn]	すまなく思う	미안해 하다	sorry
倍	[bèi]	倍[ばい]	배(倍)	times, double
本来	[běnlái]	本来[ほんらい]の	본래(本來)	original, originally
笨	[bèn]	愚[おろ]かな	어리석은	stupid
比如	[bǐrú]	例えば	예를 들면	for example
毕业	[bìyè]	卒業[そつぎょう]	졸업(卒業)하다	graduate
遍	[biàn]	遍[へん]	~번, 회	(number+) times
标准	[biāozhǔn]	標準[ひょうじゅん]	표준(標準)	standard
表格	[biǎogé]	表[ひょう]	표(表)	form, format
表示	[biǎoshì]	表[あらわ]す, 表示[ひょうじ]	나타내다, 표시(表示)하다	indicate, express
表演	[biǎoyǎn]	演ずる	공연(公演)하다	perform, play, act

表扬	[biǎoyáng]	ほめる, 表彰[ひょうしょう]	표창(表彰)하다	praise
饼干	[bǐnggān]	ビスケット	과자, 비스킷	biscuit
并且	[bìngqiě]	しかも, さらに	게다가, 더욱이	moreover, besides
博士	[bóshì]	博士[はかせ]	박사(博士)	doctor
不得不	[bùdébù]	～しなければ ならない	어쩔 수 없이	have no choice but to
不管	[bùguǎn]	～にかかわらず	~을 막론하고, 관계없이	regardless of, no matter what
不过	[búguò]	ただし, でも	그런데, 하지만	but
不仅	[bùjǐn]	～のみならず	~뿐만 아니라	not only, not just
部分	[bùfen]	部分[ぶぶん]	부분(部分)	part
擦	[cā]	拭[ふ]く	닦다, 비비다	clean, wipe
猜	[cāi]	推測[すいそく]	추측(推測)하다	guess
材料	[cáiliào]	材料[ざいりょう]	재료(材料)	material
参观	[cānguān]	参観[さんかん]	참관(參觀)하다	visit, observe
餐厅	[cāntīng]	食堂[しょくどう]	식당(食堂)	restaurant
厕所	[cèsuǒ]	トイレ	화장실(化粧室)	toilet
差不多	[chàbuduō]	ほぼ, やや	비슷하다, 대체로, 거의	almost, very similar
长城	[chángchéng]	万里の長城 [ばんりのちょうじょう]	만리장성	The Great Wall
长江	[cháng jiāng]	長江[ちょうこう]	양쯔강	The Yantze
场	[chǎng]	場[じょう], 舞台[ぶたい]	차례, 장, 무대(場,舞臺)	scene, stage
超过	[chāoguò]	超過[ちょうか]	초과(超過)하다	surpass, exceed
成功	[chénggōng]	成功[せいこう]	성공(成功)하다	succeed
成为	[chéngwéi]	～になる	~이 되다	become

诚实	[chéngshí]	誠実[せいじつ]な	성실(誠實)하다	honest, sincere
乘坐	[chéngzuò]	乗る	타다	ride
吃惊	[chījīng]	驚[おどろ]く	놀라다	surprise
重新	[chóngxīn]	新たに	새로이, 다시	again
抽烟	[chōuyān]	タバコを吸う	흡연(吸煙)하다	smoke cigarettes
出差	[chūchāi]	出張[しゅっちょう]	출장(出張)가다	go away on business
出发	[chūfā]	出発[しゅっぱつ]	출발(出發)하다	depart, set out
出生	[chūshēng]	生まれる	출생(出生)하다	be born
出现	[chūxiàn]	出現[しゅつげん]	출현(出現)하다	appear
厨房	[chúfáng]	台所[だいどころ]	주방(廚房)	kitchen
传真	[chuánzhēn]	ファックス	팩스	fax
窗户	[chuānghu]	窓[まど]	(창호),창문(窓戶, 窓門)	window
词语	[cíyǔ]	語句[ごく]	단어(單語), 어구(語句)	word, term
从来	[cónglái]	従来[じゅうらい]	종래(從來), 지금까지	so far, until now, ever
粗心	[cūxīn]	そそっかしい	소홀하다, 세심하지 못하다	careless
存	[cún]	存在[そんざい]する	존재(存在)하다, 생존하다	exist, save
错误	[cuòwù]	錯誤[さくご]	잘못된, 착오(錯誤)	mistake, wrong
答案	[dá'àn]	答案[とうあん]	답안(答案)	answer
打扮	[dǎban]	扮装[ふんそう]する	화장(扮裝)하다, 분장하다	wear makeup
打扰	[dǎrǎo]	じゃまをする	방해하다	bother, disturb
打印	[dǎyìn]	印刷[いんさつ]	인쇄(印刷)하다	print
打招呼	[dǎzhāohu]	挨拶をする	인사하다	greet
打折	[dǎzhé]	まける	가격을 깎다	cut prices, get a discount

打针	[dǎzhēn]	注射[ちゅうしゃ]する	주사를 맞다, 놓다	have/give an injection
大概	[dàgài]	大概[たいがい]	아마도, 대개(大概)	usually, in general
大使馆	[dàshǐguǎn]	大使館[たいしかん]	대사관(大使館)	embassy
大约	[dàyuē]	たぶん, おそらく	대강, 대략, 아마	approximately, probably
大夫	[dàifu]	医者[いし]	의사(醫師)	doctor
戴	[dài]	みにつける	착용하다, 쓰다	wear
当	[dāng]	～したとき	바로 그(때), 맡다	just at that time, be in charge
当时	[dāngshí]	当時[とうじ]	당시(當時)	then, at that time
刀	[dāo]	刀[とう, かたな]	칼	blade, knife
导游	[dǎoyóu]	ガイド	(관광)가이드	(tour)guide
到处	[dàochù]	あちこち	도처(到處)(에)	everywhere, throughout
到底	[dàodǐ]	いったい, ついに	도대체, 마침내	at last, after all
倒	[dào]	逆[ぎゃく]にする	뒤집(히)다, 거꾸로 되다	reverse, flip over
道歉	[dàoqiàn]	謝[あやま]る	사과하다	apologize
得意	[déyì]	得意気[とくいげ]な	득의(得意)만만하다, 마음에 들다	pleased with oneself
得	[děi]	～ねばならない	~해야 한다	must, need
登机牌	[dēngjīpái]	ボーディングパス	탑승권(搭乘券)	boarding pass
等	[děng]	～など, 等級[とうきゅう]	~등, 따위,등급(等級)	etc., grade, kind
低	[dī]	低[ひく]い	낮다	low
底	[dǐ]	底[そこ]	밑, 바닥	bottom

地点	[dìdiǎn]	地点[ちてん]	지점(地點), 위치, 장소	place, spot, location
地球	[dìqiú]	地球[ちきゅう]	지구(地球)	earth
地址	[dìzhǐ]	住所[じゅうしょ]	주소	address
调查	[diàochá]	調査[ちょうさ]	조사(調査)하다	investigate
掉	[diào]	落ちる, 落とす	떨어지다, 떨어뜨리다	fall
丢	[diū]	失[うしな]う	잃다, 잃어버리다	lose
动作	[dòngzuò]	動作[どうさ]	동작(動作), 행동	movement
堵车	[dǔchē]	渋滞[じゅうたい]	교통 체증, 차 막히다	traffic jam
肚子	[dùzǐ]	腹[はら]	배, 복부	stomach
短信	[duǎnxìn]	ショートメッセージ	문자 메시지	text message
对话	[duìhuà]	対話[たいわ]する	대화(對話)하다	dialogue, talk
对面	[duìmiàn]	向こう	반대편, 맞은편, 정면	the opposite, the front
对于	[duìyú]	～について	~에 대해서	about
儿童	[értóng]	児童[じどう]	아동(兒童), 어린이	child
而	[ér]	～して～となる	~하고도, 그리고	and
发生	[fāshēng]	発生[はっせい]	발생(發生)하다	happen
发展	[fāzhǎn]	発展[はってん]	발전(發展)하다	develop
法律	[fǎlǜ]	法律[ほうりつ]	법률(法律)	law
翻译	[fānyì]	翻訳[ほんやく] (する)	번역(翻譯), 번역자	translate, translator
烦恼	[fánnǎo]	悩[なや]む	번뇌(煩惱), 걱정하다	worried
反对	[fǎnduì]	反対[はんたい]	반대(反對)	oppose
方法	[fāngfǎ]	方法[ほうほう]	방법(方法)	method
方面	[fāngmiàn]	方面[ほうめん]	방면(方面)	field, area, side, aspect
方式	[fāngshì]	方式[ほうしき]	방식(方式)	way, means
方向	[fāngxiàng]	方向[ほうこう]	방향(方向)	direction
房东	[fángdōng]	家主[やぬし]	집주인	landlord

放弃	[fàngqì]	あきらめる	포기하다	give up
放暑假	[fàngshǔjià]	夏休みになる	여름방학을 하다	begin summer vacation
放松	[fàngsōng]	リラックスする	(긴장을) 늦추다	relax
份	[fèn]	セットのもの	몫, 배당, 한 세트	portion, part
丰富	[fēngfù]	豊富[ほうふ]な	풍부(豐富)하다	abundant, enrich
否则	[fǒuzé]	そうでなければ	만약 그렇지 않으면	otherwise
符合	[fúhé]	符合[ふごう]する	부합(符合)하다	match
父亲	[fùqīn]	父親[ちちおや]	부친(父親)	father
付款	[fùkuǎn]	支払[しはら]う	돈을 지불하다	pay
负责	[fùzé]	責任感[せきにんかん]がある	책임(責任)지다	be responsible
复印	[fùyìn]	コピーする	복사(複寫)하다	copy
复杂	[fùzá]	複雑[ふくざつ]な	복잡(複雜)하다	complex
富	[fù]	富[と]む	풍부(豐富)하다, 부유하다	rich
改变	[gǎibiàn]	改変[かいへん]	개변(改變), 변하다	change
干杯	[gānbēi]	乾杯[かんぱい]	건배(乾杯)하다	drink a toast
赶	[gǎn]	追[お]う	뒤쫓다, 따라가다	chase, catch, rush
敢	[gǎn]	あえて～する	용감(勇敢)하다, 감히(~하다)	courageous, venture
感动	[gǎndòng]	感動[かんどう]	감동(感動)하다	be moved, touched
感觉	[gǎnjué]	感覚[かんかく]	감각(感覺), 느끼다	feel, sense
感情	[gǎnqíng]	感情[かんじょう]	감정(感情)	feelings, emotion
感谢	[gǎnxiè]	感謝[かんしゃ]	감사(感謝)하다	thank
干	[gàn]	する	하다	do
刚	[gāng]	～したばかり	방금, 막	just
高速	[gāosù gōnglù]	高速道路	고속도로(高速道路)	expressway

公路		[こうそくどうろ]		
胳膊	[gēbo]	腕[うで]	팔	arm
各	[gè]	各[おのおの]	각자, 각기, 여러	each, individually
工资	[gōngzī]	賃金[ちんぎん]	임금(賃金)	salary
公里	[gōnglǐ]	キロメートル	킬로미터	kilometer
功夫	[gōngfu]	テクニック	재주, 솜씨	skill, talent
共同	[gòngtóng]	共同[きょうどう]	공동(共同)의, 공통의	common
购物	[gòuwù]	ショッピング	구입하다, 쇼핑하다	buy, do shopping
够	[gòu]	十分[じゅうぶん]に	충분하다, 만족시키다	enough
估计	[gūjì]	推定[すいてい]	추측(推測)하다, 짐작하다	guess, reckon
鼓励	[gǔlì]	励[はげ]ます	격려(激勵)하다	encourage
故意	[gùyì]	故意[こい]	고의(故意)로, 일부러	deliberately
顾客	[gùkè]	顧客[こかく]	고객(顧客), 손님	customer
挂	[guà]	掛[か]ける	걸다, 전화를 끊다	hang, hang up
关键	[guānjiàn]	関鍵[かんけん]	관건(關鍵)	crux, key
观众	[guānzhòng]	観衆[かんしゅう]	관중(觀衆)	spectator
管理	[guǎnlǐ]	管理[かんり]	관리(管理)하다	take care of, be in charge
光	[guāng]	光, ~だけ	빛, 전혀 없다, 단지	light, just
广播	[guǎngbō]	放送[ほうそう]	방송(放送)하다, 방송	broadcast
广告	[guǎnggào]	広告[こうこく]	광고(廣告)	advertisement
逛	[guàng]	ぶらぶら歩く	거닐다, 돌아다니다	stroll
规定	[guīdìng]	規定[きてい]	규정(規定)	rule, stipulate
国籍	[guójí]	国籍[こくせき]	국적(國籍)	nationality
国际	[guójì]	国際[こくさい]	국제(國際)의	international
果汁	[guǒzhī]	果汁[かじゅう]	과즙(果汁)	juice
过程	[guòchéng]	課程[かてい]	과정(課程)	process

海洋	[hǎiyáng]	海洋[かいよう]	해양(海洋)	ocean
害羞	[hàixiū]	恥ずかしがる	부끄러워하다	be shy
寒假	[hánjià]	冬休み	겨울 방학	winter vacation
汗	[hàn]	汗[あせ]	땀	sweat
航班	[hángbān]	便[びん]	운행표, 항공편	scheduled voyage/ flight
好处	[hǎochu]	メリット	장점, 이점	benefit, merit
好像	[hǎoxiàng]	～のようだ	마치~와 같다	seem like
号码	[hàomǎ]	番号[ばんごう]	번호(番號), 숫자	number
合格	[hégé]	合格[ごうかく]	합격(合格), 규격에 맞다	pass, qualified
合适	[héshì]	ちょうどいい	적합하다, 알맞다	appropriate
盒子	[hézi]	小箱[こばこ]	작은 상자	box, case
后悔	[hòuhuǐ]	後悔[こうかい]	후회(後悔)하다	regret
厚	[hòu]	厚[あつ]い	두껍다	thick
互联网	[hùliánwǎng]	インターネット	인터넷	the Internet
互相	[hùxiāng]	相互[そうご]に	상호(相互), 서로	mutually
护士	[hùshi]	看護師[かんごし]	간호사(看護師)	nurse
怀疑	[huáiyí]	疑[うたが]う	의심(疑心)하다	suspect, doubt
回忆	[huíyì]	思い出す	회상(回想)하다, 추억(追憶)하다	look back
活动	[huódòng]	活動[かつどう]	활동(活動)(하다)	activity, move, take exercise
活泼	[huópō]	活発[かっぱつ]	활발(活潑)하다	lively
火	[huǒ]	火[ひ]	불	fire
获得	[huòdé]	獲得[かくとく]	획득(獲得)하다, 얻다	gain
积极	[jījí]	積極[せっきょく]	적극(積極)적이다	enthusiastic, active
积累	[jīlěi]	累積[るいせき]	누적(累積)되다, 쌓이다	accumulate

基础	[jīchǔ]	基礎[きそ]	기초(基礎), 토대	foundation, basic
激动	[jīdòng]	激動[げきどう]	격동(激動)적이다, 흥분하다	excite
及时	[jíshí]	ちょうど いいときに	시기 적절하다, 즉시	timely, right away
即使	[jíshǐ]	たとえ〜でも	설령~할지라도	even if
计划	[jìhuà]	計画[けいかく]	계획(計劃)(하다)	plan
记者	[jìzhě]	記者[きしゃ]	기자(記者)	journalist
技术	[jìshù]	技術[ぎじゅつ]	기술(技術)	technology
既然	[jìrán]	〜である以上	이미 이렇게 된 바에야	since
继续	[jìxù]	継続[けいぞく]	계속(繼續)하다	continue
寄	[jì]	送[おく]る	(우편)보내다	mail, post
加班	[jiābān]	残業[ざんぎょう]	야근하다	work overtime
加油站	[jiāyóu zhàn]	ガソリンスタンド	주유소(注油所)	gas station
家具	[jiājù]	家具[かぐ]	가구(家具)	furniture
假	[jiǎ]	偽[にせ]の	거짓의, 가짜의	false,
价格	[jiàgé]	価格[かかく]	가격(價格)	price
坚持	[jiānchí]	堅持[けんじ]	견지(堅持)하다, 유지하다	maintain
减肥	[jiǎnféi]	ダイエット	살 빼다, 감량하다	slim
减少	[jiǎnshǎo]	減少[げんしょう]	감소(減少)하다	reduce
建议	[jiànyì]	建議[けんぎ]	건의(建議)(하다)	suggest, propose
将来	[jiānglái]	将来[しょうらい]	장래(將來)	future
奖金	[jiǎngjīn]	ボーナス	장려금, 상금	bonus, prize
降低	[jiàngdī]	下[さ]がる	내리다, 인하하다	reduce
降落	[jiàngluò]	降りる	착륙하다, 내려오다	land
交	[jiāo]	交[まじ]わる	왕래하다, 사귀다	date, associate with
交流	[jiāoliú]	交流[こうりゅう]	교류(交流)하다	exchange

交通	[jiāotōng]	交通[こうつう]	교통(交通)	traffic
郊区	[jiāoqū]	郊外[こうがい]	교외(郊外), (도시)변두리	suburbs
骄傲	[jiāo'ào]	傲慢[ごうまん]な	교만(驕慢)하다, 오만(傲慢)하다	arrogant
饺子	[jiǎozi]	餃子	교자(餃子), 만두	dumplings
教授	[jiàoshòu]	教授[きょうじゅ]	교수(教授)	professor
教育	[jiàoyù]	教育[きょういく]	교육(教育)(하다)	education
接受	[jiēshòu]	受け取る	받다, 받아들이다	accept
接着	[jiēzhe]	続けて, そして	이어서, 잇따라	follow, consecutively
节	[jié]	節[ふし]	마디	joint
节约	[jiéyuē]	節約[せつやく]	절약(節約)하다	save
结果	[jiéguǒ]	結果[けっか]	결과(結果)	result
解释	[jiěshì]	解釈[かいしゃく]	해석(解釋)하다, 설명하다	explain
尽管	[jǐnguǎn]	～であろうとも	비록~라 하더라도	even though
紧张	[jǐnzhāng]	緊張[きんちょう]	긴장(緊張)하다	nervous
进行	[jìnxíng]	進行[しんこう]	진행(進行)하다	progress, carry out
禁止	[jìnzhǐ]	禁止[きんし]	금지(禁止)하다	forbid
京剧	[jīngjù]	京劇[きょうげき]	경극(京劇)	Beijing opera
经济	[jīngjì]	経済[けいざい]	경제(經濟)	economy
经历	[jīnglì]	経歴[けいれき]	경력(經歷), 경험하다	experience
经验	[jīngyàn]	経験[けいけん]	경험(經驗)	experience (n)
精彩	[jīngcǎi]	すばらしい	뛰어나다, 훌륭하다	wonderful
景色	[jǐngsè]	景色[けしき]	경색(景色), 경치, 풍경	scenery
警察	[jǐngchá]	警察[けいさつ]	경찰(警察)	police
竞争	[jìngzhēng]	競争[きょうそう]	경쟁(競爭)하다	compete
竟然	[jìngrán]	意外[いがい]にも	뜻밖에도, 의외로	unexpectedly
镜子	[jìngzi]	鏡[かがみ]	거울	mirror

究竟	[jiūjìng]	いったい	도대체	actually, outcome
举	[jǔ]	举[あ]げる	들다, 들어올리다	raise
举办	[jǔbàn]	行[おこな]う	개최하다, 거행하다	hold, host
举行	[jǔxíng]	挙行[きょこう]	거행(擧行)하다	hold
拒绝	[jùjué]	拒絶[きょぜつ]	거절(拒絕)하다	refuse
距离	[jùlí]	距離[きょり]	거리(距離), (~로부터)떨어지다	distance, be at a distance from
聚会	[jùhuì]	集まり	집회(集會), 모임	gathering, meeting
开玩笑	[kāiwánxiào]	ふざける	농담하다, 놀리다	joke
开心	[kāixīn]	楽しい	기쁘다, 즐겁다	happy
看法	[kànfǎ]	見解[けんかい]	견해	opinion
考虑	[kǎolù]	考慮[こうりょ]	고려(考慮)하다	consider
烤鸭	[kǎoyā]	ロースト・ダック	오리구이	roast duck
科学	[kēxué]	科学[かがく]	과학(科學)	science
棵	[kē]	本[ほん]	그루, 포기	quantifier, refer to plants
咳嗽	[késou]	咳[せき]をする	기침하다	cough
可怜	[kělián]	可憐[かれん]だ	가련(可憐)하다, 불쌍하다	pitiful, pity
可是	[kěshì]	しかし, でも	그러나, 하지만	but
可惜	[kěxī]	可惜[あたら]	아쉽다, 아깝다	regrettable
客厅	[kètīng]	客間[きゃくま]	객실, 응접실	living room
肯定	[kěndìng]	肯定[こうてい]	긍정(肯定)하다, 확실하다, 확실히	affirmative, confirm, certainly
空	[kōng]	空[から]の	(속이)비다, 쓸데없다	empty, for nothing
空气	[kōngqì]	空気[くうき]	공기	air
恐怕	[kǒngpà]	おそらく～	아마~일 것이다	probably

苦	[kǔ]	にがい	쓰다	bitter
矿泉水	[kuàng quánshuǐ]	鉱泉水 [こうせんすい]	광천수, 생수	mineral water
困	[kùn]	眠くなる, 困[こま]る	졸리다	sleepy
困难	[kùnnan]	困難[こんなん]	곤란(困難), 빈곤, 빈곤하다	difficult
垃圾桶	[lājītǒng]	ごみばこ	쓰레기통	garbage can
拉	[lā]	引く	끌다, 당기다	pull
辣	[là]	辛い	맵다, 얼얼하다	hot, spicy
来不及	[láibují]	間に合わない	제시간에 댈 수 없다	it's too late
来得及	[láidejí]	間に合う	늦지 않다	there's still time
来自	[láizì]	~から来る	~로부터 오다, ~에서 생겨나다	come from, originate
懒	[lǎn]	ものぐさい	게으르다, 나태하다	lazy
浪费	[làngfèi]	浪費[ろうひ]	낭비(浪費)하다	waste
浪漫	[làngmàn]	浪漫[ろうまん]	낭만(浪漫)적이다	romantic
老虎	[lǎohǔ]	虎[とら]	호랑이	tiger
冷静	[lěngjìng]	冷静[れいせい]	냉정(冷靜)하다, 침착하다	quiet, cool-headed
礼拜天	[lǐbàitiān]	日曜日 [にちようび]	일요일(日曜日)	Sunday
礼貌	[lǐmào]	礼儀[れいぎ]	예의(禮儀)	manners
理发	[lǐfà]	理髪[りはつ]	이발(理髮)하다	get a haircut
理解	[lǐjiě]	理解[りかい]	이해(理解)하다	understand
理想	[lǐxiǎng]	理想[りそう]	이상(理想), 꿈	ideal
力气	[lìqi]	力[ちから]	힘, 역량	strength
厉害	[lìhai]	ひどい, すごい	대단하다, 심하다	terrible
例如	[lìrú]	例えば	예를 들면	for example

俩	[liǎ]	ふたつ, ふたり	두 개, 두 사람	two
连	[lián]	～さえも, つながる	~조차도, 마저도, 잇다	in succession, connect
联系	[liánxì]	連絡[れんらく], つながる	연락하다, 연결하다	connect, contact
凉快	[liángkuai]	涼[すず]しい	시원하다, 서늘하다	cool
零钱	[língqián]	小銭[こぜに]	잔돈, 푼돈	small change
另外	[lìngwài]	ほかの	다른 것(사람), 이 외에, 이 밖에	other, in addition
留	[liú]	とどまる, 残す	보관하다, 머무르다, 남기다	stay, keep
流利	[liúlì]	流暢[りゅうちょう]な	유창(流暢)하다	fluent
流行	[liúxíng]	流行[りゅうこう]	유행(流行)하다	be fashionable
旅行	[lǚxíng]	旅行[りょこう]	여행(旅行)하다	travel
律师	[lǜshī]	弁護士[べんごし]	변호사(辯護士)	lawyer
乱	[luàn]	乱[みだ]れる	어지럽다, 무질서하다	disorderly, disturbed, chaos
麻烦	[máfan]	面倒[めんどう]な	귀찮게 하다, 폐를 끼치다, 골칫거리	bother, trouble, problematic
马虎	[mǎhu]	そそっかしい	대강하다, 조심성이 없다	careless
满	[mǎn]	満たす	가득 차다	full
毛	[máo]	元の10分の1	마오	1/10 yuan
毛巾	[máojīn]	タオル	수건	towel
美丽	[měilì]	きれい	아름답다, 예쁘다	beautiful
梦	[mèng]	夢	꿈	dream
迷路	[mílù]	迷路[めいろ], 道に迷う	미로(迷路), 길을 잃다	maze, get lost
密码	[mìmǎ]	パスワード	비밀번호	password

免费	[miǎnfè]	ただの	무료로 하다	be free of charge
秒	[miǎo]	秒[びょう]	초(秒)	second
民族	[mínzú]	民族[みんぞく]	민족(民族)	ethnic group, race
母亲	[mǔqīn]	母親[ははおや]	모친(母親)	mother
目的	[mùdì]	目的[もくてき]	목적(目的)	aim, goal
耐心	[nàixīn]	我慢強[がまんづよ]い	인내심이 있다	patient
难道	[nándào]	まさか～ ではあるまい	설마~란 말인가?	could it be said that
难受	[nánshòu]	たまらない	견딜 수 없다, 괴롭다	not feel well
内	[nèi]	内[うち, ない]	안, 속, 내부	inside
内容	[nèiróng]	内容[ないよう]	내용(内容)	content
能力	[nénglì]	能力[のうりょく]	능력(能力)	ability
年龄	[niánlíng]	年齢[ねんれい]	연령(年齢), 나이	age
弄	[nòng]	する, もらう	행하다, 얻다, 가지고놀다	get, do, play with
暖和	[nuǎnhuo]	暖[あたた]かい	따뜻하다	warm
偶尔	[ǒu'ěr]	たまに	때때로, 이따금	occasionally
排队	[páiduì]	列を作る	순서대로 정리하다, 줄을 서다	line up, queue up
排列	[páiliè]	配列[はいれつ]	배열(配列)하다, 정렬하다	arrange
判断	[pànduàn]	判断[はんだん]	판단(判断)하다	judge
陪	[péi]	お供[とも]する	모시다, 동반하다	assist, go with
批评	[pīpíng]	批評[ひひょう]	비평(批評)하다, 비판하다	criticize
皮肤	[pífū]	皮膚[ひふ]	피부(皮膚)	skin
脾气	[píqi]	性格[せいかく]	성격, 성질, 성미	temper
篇	[piān]	編[へん]	편, 장	writing, sheet
骗	[piàn]	騙[だま]す	속이다, 기만하다	deceive
乒乓球	[pīngpāngqiú]	卓球[たっきゅう]	탁구(卓球)	table tennis

平时	[píngshí]	ふだん	평소, 평상시	usually
破	[pò]	破[わ]れる	파손된, 낡은	broken
葡萄	[pútáo]	ブドウ	포도	grape
普遍	[pǔbiàn]	普遍[ふへん]	보편(普遍)적인	common
普通话	[pǔtōnghuà]	中国の標準語	표준 중국어	mandarin
其次	[qícì]	次[つぎ]	그 다음	next
其中	[qízhōng]	そのうち	그 중에, 그 안에	among, inside
气候	[qìhòu]	気候[きこう]	기후(氣候)	climate
千万	[qiānwàn]	くれぐれも	부디, 제발, 반드시	please, ten million
签证	[qiānzhèng]	ビザ	비자, 사증	visa
敲	[qiāo]	叩[たた]く	치다, 두드리다	knock
桥	[qiáo]	橋[はし]	다리, 교량	bridge
巧克力	[qiǎokèlì]	チョコレート	초콜릿	chocolate
亲戚	[qīnqi]	親戚[しんせき]	친척(親戚)	relative
轻	[qīng]	軽[かる]い	가볍다	light
轻松	[qīngsōng]	気楽[きらく]である	수월하다, 부담이 없다	relaxing
情况	[qíng kuàng]	情況[じょうきょう]	정황(情況), 상황	situation
穷	[qióng]	貧[まず]しい	빈곤하다, 궁하다	poor
区别	[qūbié]	区別[くべつ]	구별(區別), 차이	distinguish
取	[qǔ]	取[と]る	가지다, 취하다, 찾다	get
全部	[quánbù]	全部[ぜんぶ]	전부(全部), 전체	all
缺点	[quēdiǎn]	欠点[けってん]	결점(缺點), 단점	weakness, shortcoming
缺少	[quēshǎo]	欠[か]ける	부족하다, 모자라다	lack
却	[què]	むしろ, かえって	도리어, 오히려	rather, instead
确实	[quèshí]	確実[かくじつ]に	확실(確實)히, 틀림없이	true, really
然而	[rán'ér]	しかし	그러나, 하지만	but

热闹	[rè·nao]	にぎわい	번화하다, 시끌벅적하다	lively
任何	[rènhé]	いかなる～でも	어떠한, 무슨	any
任务	[rèn·wu]	任務[にんむ]	임무(任務)	duty
扔	[rēng]	投[な]げる	던지다, 내버리다	throw
仍然	[réngrán]	依然[いぜん] として	여전히, 변함없이	still
日记	[rìjì]	日記[にっき]	일기(日記)	diary
入口	[rùkǒu]	入口[いりくち]	입구(入口)	entrance
散步	[sànbù]	散歩[さんぽ]	산보(散步)하다, 산책하다	take a walk
森林	[sēnlín]	森林[しんりん]	산림(森林), 숲	forest
沙发	[shāfā]	ソファー	소파	sofa
伤心	[shāngxīn]	傷心[しょうしん]	상심(傷心)하다, 슬퍼하다	sad
商量	[shāng liáng]	相談[そうだん]	상의하다, 의논하다	discuss
稍微	[shāowēi]	少し, やや	조금, 다소	a little
勺子	[sháozi]	杓子[しゃくし]	국자, 수저	spoon, scoop
社会	[shèhuì]	社会[しゃかい]	사회(社會)	society
申请	[shēnqǐng]	申請[しんせい]	신청(申請)하다	apply
深	[shēn]	深[ふか]い	깊다	deep
甚至	[shènzhì]	～さえ, ～すら	~까지도, ~조차도	even
生活	[shēnghuó]	生活[せいかつ]	생활(生活)(하다)	live, life
生命	[shēngmìng]	生命[せいめい]	생명(生命)	life
生意	[shēngyì]	商売[しょうばい]	장사, 영업	business
省	[shěng]	省[しょう]	성(행정구역)	province
剩	[shèng]	残[のこ]る, 残す	남다, 남기다	be left
失败	[shībài]	失敗[しっぱい]	실패(失敗)하다, 패배하다	fail
失望	[shīwàng]	失望[しつぼう]	실망(失望), 낙담하다	disappointed
师傅	[shī·fu]	師父[しふ]	사부(師傅)	master, sir
十分	[shífēn]	十分[じゅうぶん]	십분(十分), 아주, 대단히	extremely, very

53

实际	[shíjì]	実際[じっさい]	실제(實際)적이다, 구체적이다	real
实在	[shízài]	実在[じつざい]	실재(實在)의, 확실히, 참으로	exist, really
使	[shǐ]	～に～させる	~에게~하게 하다	make, let
使用	[shǐyòng]	使用[しよう]	사용(使用)하다, 쓰다	use
世纪	[shìjì]	世紀[せいき]	세기(世紀)	century
是否	[shìfǒu]	～かどうか	~인지 아닌지	whether or not
适合	[shìhé]	合う, ふさわしい	적합하다, 적절하다	suitable
适应	[shìyìng]	適応[てきおう]	적응(適應)하다	adapt
收	[shōu]	収[おさ]める	받다, 용납하다	take, accept
收入	[shōurù]	収入[しゅうにゅう]	수입(收入), 소득	income
收拾	[shōu·shi]	収拾[しゅうしゅう]	수습(收拾)하다, 정돈하다	repair, tidy
首都	[shǒudū]	首都[しゅと]	수도(首都)	capital
首先	[shǒuxiān]	まずはじめに	첫째로, 먼저	to begin with
受不了	[shòubù liǎo]	たまらない	견딜 수 없다, 참을 수 없다	cannot stand
受到	[shòu·dao]	受ける	얻다, 받다	get, receive
售货员	shòuhuòyuán	店員[てんいん]	판매원, 점원	salesclerk
输	[shū]	負[ま]ける, 輸送[ゆそう]する	패하다, 운송하다	lose, transport
熟悉	[shú·xī]	熟知[じゅくち]	숙지하다, 충분히 알다	know well, familiar
数量	[shùliàng]	数量[すうりょう]	수량(數量), 양	quantity
数字	[shùzì]	数字[すうじ]	숫자(數字)	number
帅	[shuài]	かっこいい	잘생기다, 멋지다	handsome
顺便	[shùnbiàn]	ついでに	~하는 김에, 겸사겸사	at the volley, by the way

顺利	[shùnlì]	順調[じゅんちょう]である	순조롭다, 일이 잘 되어가다	smoothly
顺序	[shùnxù]	順序[じゅんじょ]	순서(順序), 차례	order
说明	[shuōmíng]	説明[せつめい]	설명(說明)(하다)	explain, explanation
硕士	[shuòshì]	修士[しゅうし]	석사(碩士)	Master's degree
死	[sǐ]	死ぬ	죽다	die
速度	[sùdù]	速度[そくど]	속도(速度)	speed
塑料袋	[sùliàodài]	ビニール袋	비닐봉지	plastic bag
酸	[suān]	すっぱい	시큼하다, 시다	sour
随便	[suíbiàn]	勝手な	무책임하다, 제멋대로이다	do as one wishes, casual
随着	[suí·zhe]	～につれて	~에 따르다, ~따라서	follow
孙子	[sūnzi]	孫[まご]	손자(孫子)	grandson
所有	[suǒyǒu]	所有[しょゆう]	소유(所有)(하다), 모든	own, possession, all
台	[tái]	台[だい]	대(기계, 차량 세는 단위)	stage, stand, tower
抬	[tái]	上げる	맞들다, 함께 들다	raise, carry
态度	[tài·du]	態度[たいど]	태도(態度)	attitude, manner
谈	[tán]	話す	말하다, 이야기하다	talk
弹钢琴	[tángāngqín]	ピアノを弾[ひ]く	피아노를 치다	play piano
汤	[tāng]	湯[ゆ]	탕, 국	soup
糖	[táng]	砂糖[さとう]	설탕, 사탕	sugar, sweet
躺	[tǎng]	横になる	눕다, 드러눕다	lie
趟	[tàng]	回	차례, 번(왕래한 횟수)	turn, ranks
讨论	[tǎolùn]	討論[とうろん]	토론(討論)하다	discuss
讨厌	[tǎoyàn]	嫌だ, 嫌[きら]う	싫어하다, 미워하다	dislike, disgusting
特点	[tèdiǎn]	特徴[とくちょう]	특징, 특색	characteristic

提	[tí]	提起[ていき]する 持つ	끌어올리다, 들다(쥐다), 제시하다	carry, raise, bring forward
提供	[tígōng]	提供[ていきょう]	제공(提供)하다, 공급하다	provide
提前	[tíqián]	前倒[まえだお] しする	(시간,위치)앞당기다	bring..forward early
提醒	[tíxǐng]	気づかせる	일깨우다, 주의를 환기시키다	remind
填空	[tiánkòng]	空白[くうはく]を 埋[う]める	빈 자리를 메우다, 괄호를 채우다	fill a vacancy, fill in the blanks
条件	[tiáojiàn]	条件[じょうけん]	조건(條件)	condition
停	[tíng]	停止[ていし]する	정지하다, 멈추다	stop
挺	[tǐng]	まっすぐな	곧다, 꼿꼿하다, 매우	straighten, stick out, upright
通过	[tōngguò]	通過[つうか]する	통과(通過)하다, ~을 거쳐, 통해	pass
通知	[tōngzhī]	通知[つうち]	통지(通知)(하다), 알리다, 통지서	notice, notification
同情	[tóngqíng]	同情[どうじょう]	동정(同情)하다	sympathize
同时	[tóngshí]	同時[どうじ](に) しかも	동시(同時)에, 그리고, 게다가	besides
推	[tuī]	押す	밀다	push
推迟	[tuīchí]	遅らせる	늦추다, 연기하다	delay, postpone, put off
脱	[tuō]	脱ぐ	벗다	take…off
袜子	[wàzi]	靴下	양말, 스타킹	sock
完全	[wánquán]	完全[かんぜん]	전부, 완전(完全)히	complete, completely
网球	[wǎngqiú]	テニス	테니스	tennis
网站	[wǎngzhàn]	ウェブサイト	웹사이트	website
往往	[wǎngwǎng]	往往[おうおう]	왕왕(往往), 자주, 종종	often

危险	[wēixiǎn]	危険[きけん]	위험(危險)하다	danger, dangerous
卫生间	[wèishēngjiān]	トイレ	화장실	toilet
味道	[wèidao]	味	맛	taste
温度	[wēndù]	温度[おんど]	온도(溫度)	temperature
文章	[wénzhāng]	文章[ぶんしょう]	문장(文章), 독립된 한 편의 글	essay, sentence
污染	[wūrǎn]	汚染[おせん]	오염(汚染)되다, 오염시키다	pollute
无	[wú]	ない	없다 (무)	not have, never mind
无聊	[wúliáo]	無聊[ぶりょう]である	무료하다, 따분하다	boring
无论	[wúlùn]	～にかかわらず	~을 막론하고, ~에 관계 없이	despite, no matter what
误会	[wùhuì]	誤解[ごかい]	오해(誤解)(하다)	misunderstand
西红柿	[xīhóngshì]	トマト	토마토	tomato
吸引	[xīyǐn]	吸引[きゅういん] 引きつける	흡인(吸引)하다, 끌어당기다, 매료시키다	attract, absorb
咸	[xián]	塩辛[しおから]い	짜다	salty
现金	[xiànjīn]	現金[げんきん]	현금(現金)	cash
羡慕	[xiànmù]	うらやむ	흠모하다, 부러워하다	envy
相反	[xiāngfǎn]	相反[あいはん]する	상반(相反)되다, 반대로, 도리어	opposite
相同	[xiāngtóng]	相同[そうどう], 同じ	상동(相同)하다, 똑같다	identical
香	[xiāng]	香りがいい	향기롭다	fragrant
详细	[xiángxì]	詳細[しょうさい]な	상세(詳細)하다, 자세하다	detailed
响	[xiǎng]	響[ひび]く	울리다, 소리가 나다	echo, sound
橡皮	[xiàngpí]	消[け]しゴム	지우개	eraser

消息	[xiāo·xi]	消息[しょうそく]	소식(消息)	news
小吃	[xiǎochī]	おやつ	간식	snack
小伙子	[xiǎohuǒ·zi]	若者	젊은이, 청년	lad
小说	[xiǎoshuō]	小説[しょうせつ]	소설(小說)	novel
笑话	[xiào·hua]	笑い話, 冗談	농담, 우스갯소리	joke
效果	[xiàoguǒ]	効果[こうか]	효과(效果)	effect, effects
心情	[xīnqíng]	心情[しんじょう]	심정(心情), 감정, 기분	feelings
辛苦	[xīn·ku]	苦労[くろう]する	수고롭다, 고생스럽다	laborious, trouble
信封	[xìnfēng]	封筒[ふうとう]	편지 봉투	envelope
信息	[xìnxī]	情報[じょうほう]	정보	information
信心	[xìnxīn]	自信	자신감, 확신, 신념	faith
兴奋	[xīngfèn]	興奮[こうふん]	흥분(興奮)하다, 격동하다	be excited
行	[xíng]	行く, すばらしい	걷다, 가다, 유능하다, 대단하다	walk, OK
醒	[xǐng]	覚[さ]める	깨다, 깨어나다	wake up
幸福	[xìngfú]	幸福[こうふく]	행복(幸福), 행복하다	happy
性别	[xìngbié]	性別[せいべつ]	성별(性別)	sex
性格	[xìnggé]	性格[せいかく]	성격(性格)	personality
修理	[xiūlǐ]	修理[しゅうり]	수리(修理)하다, 수선하다	fix, repair
许多	[xǔduō]	たくさんの	매우 많다	many
学期	[xuéqī]	学期[がっき]	학기(學期)	term, semester
压力	[yālì]	圧力[あつりょく]	스트레스, 압력(壓力)	pressure, stress
牙膏	[yágāo]	歯磨[はみが]き	치약	toothpaste
亚洲	[Yàzhōu]	アジア	아시아	Asia
呀	[·ya]	あれ, まあ	엇 (놀람, 유감 표현)	oh
严格	[yángé]	厳格[げんかく]な	엄격(嚴格)하다, 엄하다	strict

严重	[yánzhòng]	厳重[げんじゅう]な	엄중(嚴重)하다, 심각하다, 중대하다	strict, severe
研究	[yánjiū]	研究[けんきゅう]	연구(研究)하다	research
盐	[yán]	塩[しお]	소금	salt
眼镜	[yǎnjìng]	眼鏡[めがね]	안경(眼鏡)	eyeglasses
演出	[yǎnchū]	演出[えんしゅつ]	연출(演出)하다, 공연하다	perform
演员	[yǎnyuán]	俳優[はいゆう]	배우, 연기자	performer
阳光	[yángguāng]	陽光[ようこう], 日光[にっこう]	양광, 햇빛	sunshine, sunlight
养成	[yǎngchéng]	養成[ようせい]	양성(養成)하다, 습관이 되다, 길러지다	foster, grow to form
样子	[yàng·zi]	様子[ようす]	모양, 모습	appearance, pattern
邀请	[yāoqǐng]	招く	초청하다, 초대하다	invite
要是	[yào·shi]	もし	만약~이라면	if
钥匙	[yào·shi]	鍵[かぎ]	열쇠	key
也许	[yěxǔ]	もしかしたら～	어쩌면, 아마도	perhaps
叶子	[yè·zi]	葉[は]	잎, 잎사귀	leaf, foliage
页	[yè]	ページ	면, 쪽	page
一切	[yíqiè]	一切 [いっさい]	일체(一切), 전부	all, everything
以	[yǐ]	～をもって	~으로써, ~을 가지고	by
以为	[yǐwéi]	～と思う	여기다, 생각하다	think
艺术	[yìshù]	芸術 [げいじゅつ]	예술(藝術)	art, skill
意见	[yì·jiàn]	意見 [いけん]	의견(意見), 견해	opinion
因此	[yīncǐ]	これによって	이로 인하여, 그래서	so
引起	[yǐnqǐ]	引き起こす	(주의를)끌다, 야기하다	cause
印象	[yìnxiàng]	印象 [いんしょう]	인상(印象)	impression
赢	[yíng]	勝つ	이기다, 승리하다	win

应聘	[yìngpìn]	招聘[しょうへい]に応じる	초빙(招聘)에 응하다, 지원하다	accept an offer
永远	[yǒngyuǎn]	永遠[えいえん]に	영원(永遠)히, 항상	forever
勇敢	[yǒnggǎn]	勇敢 [ゆうかん]	용감(勇敢)하다	brave
优点	[yōudiǎn]	長所 [ちょうしょ]	장점, 우수한 점	strong point
优秀	[yōuxiù]	優秀[ゆうしゅう]な	우수(優秀)하다	outstanding
幽默	[yōumò]	ユーモラスな	유머러스한	humorous
尤其	[yóuqí]	とりわけ	더욱이, 특히	especially
由	[yóu]	～から, ～によって	~에서, ~로부터, ~때문이다, 원인	by, due to, cause
由于	[yóuyú]	～によって, ～であるために	~로 인해 ~하다, 로 인하여	as a result of
邮局	[yóujú]	郵便局 [ゆうびんきょく]	우체국	post office
友好	[yǒuhǎo]	友好 [ゆうこう]	우호(友好)적이다	friendly
友谊	[yǒuyì]	友情 [ゆうじょう]	우의(友誼), 우정	friendship
有趣	[yǒuqù]	おもしろい	재미있다, 흥미가 있다	interesting
于是	[yúshì]	それで, そして	그래서, 이 때문에	so, therefore
愉快	[yúkuài]	愉快[ゆかい]な	유쾌(愉快)하다, 기쁘다, 즐겁다	happy
与	[yǔ]	～とともに, 与える	~와, ~거나, ~함께 / 주다	with, give
羽毛球	[yǔmáoqiú]	バドミントン	배드민턴	badminton
语法	[yǔfǎ]	語法[ごほう]	어법(語法)	grammar
语言	[yǔyán]	言語[げんご]	언어(言語)	language
预习	[yùxí]	予習 [よしゅう]	예습(豫習)하다	prepare for lessons
原来	[yuánlái]	原来 [げんらい]	원래(原來), 알고보니, 본래의	originally, original

原谅	[yuánliàng]	許[ゆる]す	용서하다, 양해하다	forgive
原因	[yuányīn]	原因 [げんいん]	원인(原因)	reason
约会	[yuēhuì]	会う約束をする	만날 약속	make an appointment
阅读	[yuèdú]	閲読 [えつどく]	열독(閱讀)하다	read
云	[yún]	雲	구름	cloud
允许	[yǔnxǔ]	允許[いんきょ]	윤허(允許)하다, 허락하다	allow
杂志	[zázhì]	雑誌[ざっし]	잡지(雜誌)	magazine
咱们	[zán·men]	我々	우리들	we
暂时	[zànshí]	しばらく, 暫時[ざんじ]	잠시(暫時), 일시, 잠깐	temporarily
脏	[zāng]	汚[きたな]い	더럽다, 지저분하다	dirty
责任	[zérèn]	責任[せきにん]	책임(責任)지다	responsibility
增加	[zēngjiā]	増加[ぞうか]	증가(增加)하다, 더하다	increase
占线	[zhàn xiàn]	電話が話し中である	통화 중이다	(the line of a telephone) busy
招聘	[zhāopìn]	招聘 [しょうへい]	초빙(招聘)하다, 모집하다	recruit
照	[zhào]	照[て]る	비추다, 비치다	reflect
真正	[zhēnzhèng]	真正[しんせい], 真[しん]の	진정(真正)한, 참된	true
整理	[zhěnglǐ]	整理 [せいり]	정리(整理)하다	sort out
正常	[zhèng cháng]	正常 [せいじょう]	정상(正常)적인	normal
正好	[zhènghǎo]	ちょうど,ぴったり, あいにく	딱 맞다, 꼭 맞다, 마침	precisely, just in time, just right
正确	[zhèngquè]	正確 [せいかく]	정확(正確)하다, 올바르다	correct
正式	[zhèngshì]	正式 [せいしき]	정식(正式)의, 공식의	official
证明	[zhèngmíng]	証明[しょうめい]	증명(證明)하다, 증명서	prove

之	[zhī]	これ, あれ, ～の	~의, 그, 이, 그 사람, 그것	that, it, someone, something, of(~'s)
支持	[zhīchí]	支持[しじ]	지지(支持)하다	support
知识	[zhī·shi]	知識[ちしき]	지식(知識)	knowledge
直接	[zhíjiē]	直接[ちょくせつ]	직접(直接)적인	direct
值得	[zhídé]	～するかいがある	~할 만하다, ~할 가치가 있다	be worth
职业	[zhíyè]	職業［しょくぎょう]	직업(職業)	occupation
植物	[zhíwù]	植物[しょくぶつ]	식물(植物)	plant
只好	[zhǐhǎo]	～するほかない	부득이, 어쩔 수 없이	have no choice but to
只要	[zhǐyào]	～さえすれば	~하기만 하면	so long as
指	[zhǐ]	指, 指さす	손가락, 가리키다	finger, point to
至少	[zhìshǎo]	せめて	적어도, 최소한	at least
质量	[zhìliàng]	質量［しつりょう], 品質［ひんしつ]	질량(質量), 품질	mass, quality
重	[zhòng]	重い	무겁다, 비중이 크다	heavy, weight
重点	[zhòngdiǎn]	重点［じゅうてん]	중점(重點), 중요한 점	key point
重视	[zhòngshi]	重視[じゅうし]	중시(重視)하다, 중요시하다	attach importance to
周围	[zhōuwéi]	周囲[しゅうい]	주위(周圍), 주변	the vicinity
主意	[zhǔ·yi]	アイデア	방법, 아이디어	idea, opinion
祝贺	[zhùhè]	祝賀［しゅくが]	축하(祝賀)하다	congratulate
著名	[zhùmíng]	著名［ちょめい]	저명(著名)하다, 유명하다	famous
专门	[zhuānmén]	専門[せんもん]的, 特に, わざわざ	전문(專門)적으로, 특별히, 일부러	especially, specialized

专业	[zhuānyè]	専攻 [せんこう]	전공	special field of study
转	[zhuǎn]	変える，変わる	(방향, 상황) 바뀌다, 전환하다	turn
赚	[zhuàn]	もうける	(돈을) 벌다	make a profit, earn
准确	[zhǔnquè]	確か(な)	확실하다, 정확하다	accurate
准时	[zhǔshí]	時間どおりに	정시에, 제때에	punctual
仔细	[zǐxì]	子細[しさい]だ, 気をつける	자세(仔細)하다, 세심하다, 꼼꼼하다	thorough, careful
自然	[zìrán]	自然 [しぜん]	자연(自然), 자연히, 당연히	nature, naturally
自信	[zìxìn]	自信がある	자신만만하다, 자신감 있다	self-confident
总结	[zǒngjié]	総括[そうかつ] する	총결(總結)산(하다), 총괄(하다)	summarize, summary
租	[zū]	貸す	임차하다, 임대하다	rent
最好	[zuìhǎo]	もっともいい	제일 좋기로는	best, preferably
尊重	[zūnzhòng]	尊重 [そんちょう]	존중(尊重)하다, 중시하다	respect
左右	[zuǒyòu]	左右 [さゆう], ～ぐらい	가량, 쯤, 좌우(左右)	left and right, about
作家	[zuòjiā]	作家 [さっか]	작가(作家)	writer
作用	[zuòyòng]	作用 [さよう]	작용(作用), 효과	affect. effect
作者	[zuòzhě]	作者 [さくしゃ]	저자, 작자(作者)	author
座	[zuò]	席，シート	좌, 동, 채(큰 부피, 고정된 물체 세는 단위)	seat, stand
座位	[zuò·wèi]	席，シート	좌석	seat

哎	āi	まあ, おい, ほら (hora)	어머나, 참, 이봐	hey
唉	āi	はい, はあ, ええ(ee)	예, 아이고, 어이	oh
爱护	àihù	愛護 (あいご, aigo)	애호(愛護)하다	to cherish, to care
爱惜	àixī	大事にする (だいじにする, daiji ni suru)	아끼다	to value
爱心	àixīn	愛心 (あいしん, aishin)	애심(愛心), 사랑하는 마음	affection, compassion
安慰	ānwèi	慰める (なぐさめる, nagusameru)	마음이 편하다, 위로하다.	to comfort
安装	ānzhuāng	取り付ける, インストールする (insutooru suru)	설치하다	to install
岸	àn	岸 (きし, kishi)	언덕, 기슭	edge, bank
暗	àn	くらい (kurai)	어두운	dark
熬夜	áoyè	徹夜する (てつやする, tetusyaru)	밤새다	stay up late
把握	bǎwò	把握する (はあくする, haaku suru)	파악(把握)	to grasp
摆	bǎi	置く, 配置する (はいちする, haichi suru)	놓다	to put, arrange
办理	bànlǐ	取り扱[あつか]う, 処理する (しょりする, shori suru)	처리하다, 취급하다	to transact, handle
傍晚	bàngwǎn	夕暮れ (ゆうぐれ, yuugure)	저녁 무렵	evening
包裹	bāoguǒ	パッケージ (pakkeeji)	싸다, 소포	to pack, parcel
包含	bāohán	包含[ほうがん], 含む (ふくむ, fukumu)	포함(包含)하다	to include
包括	bāokuò	包括する (ほうかつする, houkatsu suru)	포괄(包括)하다	include
薄	báo	薄い (うすい, usui)	얇다	thin

宝贝	bǎobèi	宝物[ほうもつ], お宝 (おたから, otakara)	보배(寶貝), 보물	treasure
宝贵	bǎoguì	貴重な (きちょうな, kichou na)	귀중하다, 보귀(寶貴)하다	precious
保持	bǎochí	保持[ほじ]する, 維持する (いじする, iji suru)	보지(保持), 지키다	to keep, maintain
保存	bǎocún	保存する (ほぞんする, hozon suru)	보존(保存)하다	to save, preserve
保留	bǎoliú	保留 (ほりゅう horyuu)	보류(保留)하다, 보존하다	to retain, reserve
保险	bǎoxiǎn	保険 (ほけん, hoken)	보험(保險)	insurance
报到	bàodào	報告する (ほうこくする, houkoku suru)	도착 보고를 하다, 출석하다	register
报道	bàodào	報道する (ほうどうする, houdou suru)	보도(報道)	report
报告	bàogào	報告する (ほうこくする, houkoku suru)	보고 (報告)	report
报社	bàoshè	新聞社 (しんぶんしゃ, shinbunsha)	신문사	newspaper
抱怨	bàoyuàn	恨みごとを言う (うらみごとをいう, uramikotowoiu)	원망하다, 불평하다	complain
背	bèi	背中 (せなか, senaka)	등	back
悲观	bēiguān	悲観的 (ひかんてき, hikanteki)	비관(悲觀)적이다	pessimistic
背景	bèijǐng	背景 (はいけい, haikei)	배경(背景)	background
被子	bèizi	掛け布団[かけぶとん, シーツ (shiitsu)	이불	blanket, bed sheet

本科	běnkē	大学の本科[ほんか], 学部(がくぶ, gakubu)	본과(本科)	undergraduate course
本领	běnlǐng	腕前[うでまえ], スキル(sukiru)	본령, 재능, 기량	skill, ability
本质	běn zhì	本質 (ほんしつ, honshitsu)	본질(本質)	essence, nature
比例	bǐ lì	比例(ひれい), 比率 (ひりつ, hiritsu)	비율, 비례(比例)	proportion
彼此	bǐ cǐ	互いに (たがいに, tagai ni)	서로	each other
必然	bì rán	必然 (ひつぜん, hitsuzen)	필연(必然)	inevitability
必要	bì yào	必要 (ひつよう, hitsuyou)	필요(必要)	necessity, necessary
毕竟	bì jìng	結局 (けっきょく, kekkyoku)	결국	after all
避免	bì miǎn	避ける (さける, sakeru)	피하다	to avoid
编辑	biān jí	編集 (へんしゅう, henshuu)	편집(編輯)	to edit
鞭炮	biān pào	花火 (はなび, hanabi)	폭죽	firecracker
便	biàn	便利な (べんりな, benrina)	편리한	convenient
辩论	biàn lùn	辯論(べんろん), 議論 (ぎろん, giron)	변론(辯論), 토론	to argue
标点	biāo diǎn	句読点 (くとうてん, kutouten)	문장 부호	punctuation
标志	biāo zhì	標識 (ひょうしき, hyoushiki)	표지(標識)	mark, sign
表达	biǎodá	表現 (ひょうげん, hyougen)	표현하다	express
表面	biǎo miàn	表面 (ひょうめん, hyoumen)	표면(表面)	surface
表明	biǎo míng	表明(ひょうめい), 明らかにする (あきらかにする, akiraka ni suru)	표명(表明), 밝히다	to indicate

表情	biǎo qíng	表情（ひょうじょう, hyoujou)	표정(表情)	expression
表现	biǎo xiàn	表現（ひょうげん, hyougen)	표현(表現)	show off, performance
冰激凌	bīngjīlíng	アイスクリーム（あいすくりーむ, aisukuriimu)	아이스크림	ice cream
病毒	bìngdú	ウイルス (uirusu)	병독, 바이러스	virus
玻璃	bōli	ガラス（がらす, garasu)	유리	glass
播放	bōfàng	放送する（ほうそうする, housusuru)	방송하다, 방영하다	broadcast
脖子	bózi	首（くび, kubi)	목	neck
博物馆	bówù guǎn	博物館（はくぶつかん, hakubutsukan)	박물관(博物館)	museum
补充	bǔchōng	補充（ほじゅう, hojuu)	보충(補充)	supplementary, to replenish
不安	bù ān	不安（ふあん, fuan)	불안(不安)	uneasy
不得了	bù dé liǎo	大変だ（たいへんだ, taihenda)	큰일 났다, 심하다	extreme
不断	bù duàn	不断(ふだん), 継続的（けいぞくてき, keizokuteki)	부단(不斷)하다	continually
不见得	bù jiàn dé	必(かなら)ずしも～ない（kanarazu shimo˜nai)	반드시 ~하지 않다	not likely
不耐烦	bù nài fán	うるさがる, いらいらする（irairasuru)	못 참다, 성가시다	impatient
不然	bù rán	さもないと (samonaito)	그렇지 않다, 그렇지 않으면	not so, otherwise
不如	bù rú	～に及(およ)ばない（oyobanai)	~만 못하다, ~하는 편이 낫다.	not equal to, not be as good as

不要紧	bù yào jǐn	大丈夫 (だいじょうぶ, daijoubu)	문제 없다, 괜찮다	it doesn't matter. unimportant
不足	bù zú	不足(ふそく), 不十分 (ふじゅうぶん, fujyuubun)	부족(不足)	not enough
布	bù	布 (ぬの, nuno)	천	cloth
步骤	bù zhòu	プロセス, ステップ, 手順 (てじゅん, tejun)	순서, 절차, 단계	step
部门	bù mén	部門 (ぶもん, bumon)	부서, 부문 (部門)	department
财产	cái chǎn	財産 (ざいさん, zaisan)	재산(財産)	property
采访	cǎi fǎng	インタビューする (いんたびゅーする, intabyuu suru)	취재하다, 인터뷰하다	to interview
采取	cǎi qǔ	採取する (さいしゅする, saishu suru)	채취(採取), 채용하다, 채택하다	to take
彩虹	cǎihóng	虹 (にじ, niji)	무지개	rainbow
踩	cǎi	踏む (ふむ, fumu)	밟다	to step on
参考	cān kǎo	参考 (さんこう, sankou)	참고(參考)	reference, to consult
参与	cān yù	参与(さんよ, sanyo)	참여(參與)	to participate
惭愧	cánkuì	恥ずかしい (はずかしい, hazukashii)	부끄럽다	ashamed
操场	cāo chǎng	運動場 (うんどうじょう, undoujou)	운동장	playground
操心	cāoxīn	心配する(しんぱいする, shinpaisuru)	걱정하다, 마음 졸이다	worry
册	cè	冊子(さっし), [量詞]〜冊 (さつ, satus)	책(冊), 권	volume, book
测验	cèyàn	テストする (tesuto suru)	시험(하다)	test
曾经	céngjīng	かつて (katsute)	예전에, 이미, 벌써	once

叉子	chāzi	フォーク（fooku）	포크	fork
差别	chābié	差別(さべつ)，違い(ちがい，chigai)	차별(差別), 차이, 구별	difference
差距	chājù	ギャップ，格差(かくさ，gakusa)	차, 격차	discrepancy, gap
插	chā	挿す（さす，sasu）	끼우다, 개입하다, 꽂다	insert
拆	chāi	ばらす，はがす，バラバラにする，取り外す(とりはずす，torihazusu)	뜯다, 헐다, 사이를 벌어지게 하다	to tear.. open, dismantle
产品	chǎnpǐn	製品（せいひん，seihin）	산물, 제품	product
产生	chǎn shēng	生(しょう)ずる，発生する(はっせいする，hasseisuru)	낳다, 발생하다, 생기다	generate, produce
长途	chángtú	長距離(の)（ちょうきょり，choukyori）	장거리, 먼길	long-distance
常识	chángshí	常識（じょうしき，joushiki）	상식(常識)	common sense
抄	chāo	コピー，書き写す(かきうつす，kakiutsusu)	베끼다, 표절하다, 수사하여 몰수하다	copy, plagiarize, raid
超级	chāojí	超(ちょう)，スーパー（suupaa）	초(超), 뛰어난	super
朝	zhāo	朝（あさ，asa）	아침	morning
潮湿	cháoshī	湿(しめ)っぽい，じっとりする（zittorisuru）	축축하다, 눅눅하다	damp
吵	chǎo	やかましい，うるさい，騒がしい（さわがしい sawagashii）	시끄럽다, 언쟁하다	noisy, squabble

70

吵架	chǎojià	口論する（こうろんする, kouron suru)	말다툼하다, 다투다	quarrel
炒	chǎo	炒める（いためる, itameru)	볶다, 투기하다	fry, speculate
车库	chēkù	ガレージ（gareeji)	차고	garage
车厢	chēxiāng	車両（しゃりょう, sharyou)	수화물칸, 객차	carriage
彻底	chèdǐ	徹底（てってい, tettei)	철저(徹底)하다	thorough
沉默	chénmò	沈黙（ちんもく, chinmoku)	침묵(沈默)	silence
趁	chèn	～に乗じて（にじょうじて, nizyouzite)	편승하다, 빌어서, 틈타서	take advantage of
称	chēng	称(しょう)する,称える（となえる, tonaeru)	칭하다	call, say
称呼	chēnghu	呼ぶ（よぶ, yobu)	부르다, 일컫다	call
称赞	chēngzàn	称賛する（しょうさんする, shousan suru)	칭찬(稱讚)하다	praise
成分	chéngfèn	成分（せいぶん, seibun)	성분(成分)	component
成果	chéngguǒ	成果（せいか, seika)	성과(成果)	achievement
成就	chéngjiù	成就(じょうじゅ, zyouzyu)	성취(成就)	accomplishment
成立	chénglì	成立（せいりつ, seiritsu)	설립(成立)하다, 설치하다	establish
成人	chéngrén	成人（せいじん, seijin)	성인(成人)	adult
成熟	chéngshú	成熟（せいじゅく, seijuku)	성숙(成熟)	mature, ripe
成语	chéngyǔ	成語（せいご, seigo)	성어(成語), 관용어	idiom
成长	chéngzhǎng	成長（せいちょう, seichou)	성장(成長)	growth
诚恳	chéngkěn	誠実（せいじつ, seijitsu)	성실(誠實)	sincere

承担	chéng dān	担当(たんとう)する, 負担する (ふたんする, futan suru)	맡다, 담당하다	undertake
承认	chéng rèn	承認(しょうにん), 認める (みとめる, mitomeru)	승인(承認), 인정하다	acknowledge, recognize
承受	chéng shòu	耐える(たえる, taeru)	견디다, 감당하다, 이어받다	bear, experience
程度	chéngdù	程度 (ていど, teido)	정도(程度)	degree
程序	chéngxù	手順 (てじゅん, tejun)	절차	procedure
吃亏	chīkuī	損をする (そんをする, sono suru)	손해를 보다	suffer a loss, lose out
池塘	chítáng	池 (いけ, ike)	연못	pond
迟早	chízǎi	遅かれ早かれ (おそかれはやかれ, osokare hayakare)	조만간	sooner or later
持续	chíxù	持續(じぞく), 継続する (けいぞくする, keizoku suru)	지속(持續)하다	continue
尺子	chǐzi	定規 (じょうぎ, jougi)	자	ruler
翅膀	chìbǎng	翼 (つばさ, tsubasa)	날개	wing
冲	chōng	進む (すすむ, susumu)	요충, 돌진하다, 솟구치다	rush
充电器	chōng diànqì	充電器 (じゅうでんき, juudenki)	충전기(充電器)	charger
充分	chōng fèn	充分 (じゅうぶん, juubun)	충분(充分)하다, 충분히	adequate, ample, fully
充满	chōng mǎn	充満(じゅうまん), 満ちる (みちる, michiru)	충만(充滿), 가득차다	be filled

重复	chóngfù	重複(じゅうふく), 繰り返す (くりかえす, kurikaesu)	중복(重複), 반복	repeat
宠物	chǒngwù	ペット (petto)	애완동물	pet
抽屉	chōuti	引き出し (ひきだし, hikidashi)	서랍	drawer
抽象	chōu xiàng	抽象 (ちゅうしょう, chuushou)	추상(抽象)	abstract
丑	chǒu	醜い (みにくい, minikui)	추하다, 못생기다	ugly
臭	chòu	臭い (くさい, kusai)	구리다, 썩다	smelly
出版	chūbǎn	出版 (しゅっぱん, shuppan)	출판(出版)	publication
出口	chūkǒu	出口 (でぐち, deguchi)	출구(出口), 말을 꺼내다, 수출하다	export, exit
出色	chūsè	出色(しゅっしょく)の, すばらしい (subarashii)	뛰어나다, 특별히 훌륭하다	outstanding
出示	chūshì	提示する (ていじする, deizisuru)	제시하다, 내보이다	display
出席	chūxí	出席 (しゅっせき, shusseki)	참석, 출석(出席)하다	attend
初级	chūjí	初級 (しょきゅう, shokyuu)	초급(初級)	elementary, primary
除非	chúfēi	～でなければ～しない, ～である場合のみ～である, ～はともかく(watomokaku)	다만~함으로써만이 비로소, ~아니고서는	unless, other than
除夕	chúxī	除夕(じょせき), 大晦日 (おおみそか, oomisoka)	제석(除夕), 섣달 그믐날 밤	new year's eve
处理	chǔlǐ	処理 (しょり, shori)	처리(處理)하다, 처벌하다	handling
传播	chuánbō	伝える (つたえる, tsutaeru)	전파하다, 흩뿌리다, 유포	disseminate

传染	chuán rǎn	伝染 (でんせん, densen)	전염(傳染)	infection
传说	chuán shuō	伝説 (でんせつ, densetsu)	전설(傳說)	legend
传统	chuán tǒng	伝統 (でんとう, dentou)	전통(傳統)	tradition
窗帘	chuānglián	カーテン (kaaten)	커튼	curtain
闯	chuǎng	突入する (とつにゅうする, totsunyuu suru)	갑자기 뛰어 들다, 부딪치다	rush
创造	chuàng zào	創造 (そうぞう, souzou)	창조(創造)	creation
吹	chuī	吹く (ふく, fuku)	불다	blow
词汇	cíhuì	語彙 (ごい, goi)	어휘(語彙)	vocabulary
辞职	cízhí	辞職 (じしょく, jishoku)	사직(辭職)하다	resignation
此外	cǐwài	それに (sore ni)	이외에, 이밖에	besides
次要	cìyào	副次的な(ふくじてきな, hukuzidekina)	부차적인	secondary
刺激	cìjī	刺激 (しげき, shigeki)	자극(刺戟)	stimulate, provoke
匆忙	cōng máng	あわてて, 急いでいる (いそいでいる, isoideiru)	매우 바쁘다, 총망하다	haste
从此	cóngcǐ	これから (korekara)	이제부터, 지금부터, 여기부터	from now on
从而	cóngér	したがって, それにより (soreniyori)	따라서	therefore
从前	cóngqián	従前(じゅうぜん), 昔 (むかし, mukashi)	종전(從前), 이전	past, once upon a time
从事	cóngshì	従事する(じゅうじする, juuji suru)	종사(從事)하다	undertake, deal with

粗糙	cūcāo	粗い（あらい，arai）	거칠다, 투박하다, 서투르다	rough
促进	cùjìn	促進する（そくしんする，sokushin suru)	촉진(促進)하다	promote
促使	cùshǐ	～するように促す，促(うなが)して～させる（unagashite saseru)	~하도록 하게하다	press for
醋	cù	酢（す，su）	식초	vinegar
催	cuī	催促(さいそく)する，促す(うながす，unagasu)	재촉하다	urge
存在	cúnzài	存在する（そんざいする，sonzai suru)	존재(存在)	existence
措施	cuòshī	措置（そち，sochi）	조치, 대책, 시책	measures
答应	dāying	約束する，応じる（おうじる，ouziru）	대답하다, 동의하다	promise, answer, agree
达到	dádào	達成する(たっせいする，tassei suru)	도달하다, 달성하다	achieve, reach
打工	dǎgōng	働く，アルバイト（arubaito）	아르바이트하다	work part-time
打交道	dǎjiāo dào	相手にする，つきあう(tsukiau)	왕래하다, 교제하다, 사귀다	deal with, come into contact with
打喷嚏	dǎpēntì	くしゃみをする（kushamio suru）	재채기를 하다	sneeze
打听	dǎtīng	尋ねる（たずねる，tazuneru）	물어보다, 알아보다	inquire
大方	dàfāng	上品である，気前(きまえ)が良い（kimaega yoi）	시원스럽다, 거침없다, 고상하다	generous, natural, tasteful
大厦	dàshà	ビル（biru）	고층 건물	skyscraper
大象	dàxiàng	象(ぞう，zou)	코끼리	elephant

大型	dàxíng	大型 (おおがた, oogata)	대형(大型)	large-scale
呆	dāi	ぼんやりする, にぶい(nibui)	둔하다, 멍하다, 빈둥거리다	stupid, slow-witted
代表	dàibiǎo	代表 (だいひょう, daihyou)	대표(代表)	representative
代替	dàitì	代替(だいたい), 代わりに (kawari ni)	대체(代替)하다	substitute for, instead
贷款	dàikuǎn	ローン (roon)	대출	loan
待遇	dàiyù	待遇 (たいぐう, taiguu)	대우(待遇)	treatment
担任	dānrèn	担任 (たんにん, tannin)	담임(擔任)하다, 맡다	hold the post of
单纯	dānchún	単純 (たんじゅん, tanjun)	단순(單純)	simple
单调	dāndiào	単調な (たんちょうな, tanchouna)	단조(單調)	monotonous
单独	dāndú	単独で (たんどくで, tandokude)	단독(單獨), 혼자의, 홀수의	alone
单位	dānwèi	単位 (たんい, tan'i)	단위(單位)	unit
单元	dānyuán	単元(たんげん), ユニット (yunitto)	단원(單元)	unit
耽误	dānwu	遅らせる (おくらせる, okuraseru)	미루다, 지체하다	delay
胆小鬼	dǎnxiǎoguǐ	臆病者 (おくびょうしゃ, okubyousha)	겁쟁이	coward
淡	dàn	淡(あわ)い, 薄い(うすい, usui)	희미하다, 엷다, 싱겁다	light
当地	dāngdì	当地(とうち), 現地 (げんち, genchi)	당지(當地), 현지	local
当心	dāngxīn	注意する (ちゅういする, chuui suru)	조심하다, 주의하다	be cautious
挡	dǎng	ブロックする (burokku suru)	가리다, 막다	block

76

导演	dǎoyǎn	監督（かんとく, kantoku)	감독(하다), 연출하다	director
导致	dǎozhì	導く，リードする (riido suru)	초래하다, 야기하다	lead
岛屿	dǎoyǔ	島（しま, shima)	섬	island
倒霉	dǎoméi	不運（ふうん, fuun)	불운하다, 재수 없다	unlucky
到达	dàodá	到達（とうたつ, toutatsu)	도달(到達), 도착하다	arrive
道德	dàodé	道徳（どうとく, doutoku)	도덕(道德)	morality
道理	dàolǐ	道理(どうり)，理屈 (りくつ, rikutsu)	도리(道理), 이치	principle, sense
登记	dēngjì	登記(とうき)，登録 (とうろく, touroku)	등기(登記), 등록	register
等待	děngdài	待つ（まつ, matsu)	등대(等待), 대기	wait
等于	děngyú	～に等しい（ひとしい, hitoshii)	~와 같다, ~이나 다름없다	equal, be equivalent to
滴	dī	一滴（いってき, itteki)	방울, 한 방울씩 떨어지다	drop
的确	díquè	本当に（ほんとうに, hontou ni)	확실히, 분명히, 참으로	indeed
敌人	dírén	敵（てき, teki)	적	enemy
地道	dìdào	本場の，本物の(ほんものの, honmonono)	진짜의, 알차다, 순수하다	genuine, pure, well done
地理	dìlǐ	地理（ちり, chiri)	지리(地理)	geography
地区	dìqū	地区(ちく)，地域（ちいき, chiiki)	지역, 지구(地區)	region
地毯	dìtǎn	カーペット（kaapetto)	카펫	carpet
地位	dìwèi	地位（ちい, chii)	지위(地位)	position
地震	dìzhèn	地震（じしん, jishin)	지진(地震)	earthquake

递	dì	渡す（わたす，watasu）	넘겨주다, 건네다, 차례대로	pass, in succession
点心	diǎnxīn	おやつ（oyatsu）	간식	snack
电池	diànchí	電池（でんち，denchi）	전지(電池)	battery
电台	diàntái	ラジオ局（rajiokyoku）	방송국, 무선 통신기	station
钓	diào	釣り（つり，tsuri）	낚시, 낚다	fishing
顶	dǐng	頭にのせる、てっぺん、頂（いただき，itadaki）	꼭대기, 머리에 이다	top, peak
动画片	dònghuàpiàn	アニメ（anime）	애니메이션	animation
冻	dòng	凍る（こおる，kooru）	얼다	freeze
洞	dòng	洞窟（どうくつ，doukutsu）	동굴, 구멍	cave
豆腐	dòufu	豆腐（とうふ，toufu）	두부(豆腐)	tofu
逗	dòu	あやす，からかう（karakau）	놀리다	tease
独立	dúlì	独立（どくりつ，dokuritsu）	독립(獨立)	independence
独特	dútè	独特（どくとく），ユニーク（yunīku）	독특(獨特)	unique
度过	dùguò	過ごす（すごす，sugosu）	지내다	spend time
断	duàn	切る，とぎれる，断つ（たつ，tatsu）	끊다, 단절하다	break, cut
堆	duī	積む（つむ，tsumu）	쌓다	pile
对比	duìbǐ	対比(たいひ，taihi)	대비(對比), 비율	comparison
对待	duìdài	向かい合う（むかいあう，mukaiau）	대하다, 상대적이다, 다루다	treat
对方	duìfāng	互い，あちら，相手（あいて，aite）	상대방, 상대편	counterpart, other side
对手	duìshǒu	相手，ライバル（raibaru）	상대, 호적수	opponent, match

对象	duìxiàng	対象 (たいしょう, taishou)	대상(對象), 결혼 상대, 애인	object, partner
兑换	duìhuàn	両替 (りょうがえ, ryougae)	환전	exchange
吨	dūn	トン (とん, ton)	톤	ton
蹲	dūn	うずくまる, しゃがむ (shagamu)	쪼그리고 앉다, 웅크려 앉다, 머무르다	crouch
顿	dùn	ちょっと止まる, 頭を地面につける, 疲れる(tsukareru)	잠시 멈추다, 머리를 조아리다	pause, tired
多亏	duōkuī	おかげで (okagede)	다행히, 덕분에, 은혜를 입다	thanks to
多余	duōyú	余計な (よけいな, yokeina)	불필요한, 여분의	excessive
朵	duǒ	～輪(りん), 花 (はな, hana)	송이	flower
躲藏	duǒcáng	逃げ隠れる(にげかくれる nigekakureru)	도망쳐 숨다, 피하다	hide
恶劣	èliè	悪い (わるい, warui)	악질이다, 아주 나쁘다, 열악하다	terrible
耳环	ěrhuán	イヤリング (iyaringu)	귀걸이	earrings
发表	fābiǎo	発表 (はっぴょう, happyou)	발표(發表)	publish
发愁	fāchóu	心配する (しんぱいする, shinpaisuru)	고민하다, 근심하다, 우려하다	worry
发达	fādá	発達(はったつ), 繁栄 (はんえい, han'ei)	발달(發達)하다, 발전시키다, 번영	developed, prosperous
发抖	fādǒu	震える (ふるえる, furueru)	떨다	tremble
发挥	fāhuī	発揮 (はっき, hakki)	발휘(發揮)하다	bring out

发明	fāmíng	発明（はつめい, hatsumei）	발명(發明)	invention
发票	fāpiào	領収書（りょうしゅうしょ, ryoushuusho）	영수증	invoice
发言	fāyán	発言（はつげん, hatsugen）	발언(發言)	statement
罚款	fákuǎn	罰金（ばっきん, bakkin）	벌금	fine
法院	fǎyuàn	裁判所（さいばんしょ, saibansho）	법원	court
翻	fān	ひっくり返す（ひっくりかえす, hikkurikaesu）	뒤집다, 전복하다, 뒤지다	turn, flip
繁荣	fánróng	繁栄（はんえい, han'ei）	번영(繁榮)	prosperity
反而	fǎn'ér	（それどころか）かえって（kaette）	오히려, 역으로	instead
反复	fǎnfù	反復（はんぷく, hanpuku）	반복(反復)	repeatedly
反应	fǎnyìng	反応（はんのう, hannou）	반응(反應), 응답하다	response
反映	fǎnyìng	反映（はんえい, han'ei）	반영(反映), 보고하다	reflect
反正	fǎnzhèng	どうせ, いずれにせよ, とにかく(tonikaku)	어쨌든, 하여간, 아무튼, 어차피	anyway
范围	fànwéi	範囲（はんい, han'i）	범위(範圍)	range
方	fāng	四角の, 平方, 方向(ほうこう, houkou)	사변형, 바르다, 개 (모난물건세는 단위), 측, 쪽, 곳	direction, square, honest
方案	fāng'àn	方案(ほうあん), 計画 (けいかく, keikaku)	초안, 설계도, 계획, 방안(方案)	plan
妨碍	fáng'ài	邪魔する, 妨げる (さまたげる, samatageru)	지장, 방해, 저해하다	hinder

汉字	拼音	日本語	한국어	English
仿佛	fǎngfú	さながら, あたかも～のようだ, まるで (marude)	마치~인 듯하다, 유사하다	as if, similar
非	fēi	～ではない, ～にあらず, ぜひとも, 合わない (awanai)	과실, ~에 맞지 않다, 비난하다	non, wrong, blame
肥皂	féizào	石けん (せっけん, sekken)	비누	soap
废话	fèihuà	余計な口をきく, むだ話 (mudabanasi)	허튼소리, 쓸데없는 말을 하다	nonsense
分别	fēnbié	区別, 別れる (わかれる, wakareru)	헤어지다, 구별하다, 차이	split up, distinguish, difference
分布	fēnbù	分布 (ぶんぷ, bunpu)	분포(分布)하다, 널려있다	distribute, dispersion
分配	fēnpèi	分配 (ぶんぱい, bunpai)	분배(分配), 배치하다, 할당	distribution, assign, division
分手	fēnshǒu	別れる (わかれる, wakareru)	헤어지다	break up
分析	fēnxī	分析 (ぶんせき, bunseki)	분석(分析)	analysis
纷纷	fēnfēn	続々と, たえまなく (taemanaku)	잇달아, 몇번이고, 분분하다	one after another, diverse
奋斗	fèndòu	奮闘 (ふんとう, funtou)	분투(奮鬪)하다	struggle
风格	fēnggé	風格(ふうかく), スタイル(sutairu)	스타일, 풍격(風格), 품격	style, manner
风景	fēngjǐng	風景 (ふうけい, fuukei)	풍경(風景)	scenery
风俗	fēngsú	風俗 (ふうぞく, fuuzoku)	풍속(風俗)	customs
风险	fēngxiǎn	危険, リスク (risuku)	위험	risk
疯狂	fēng kuáng	熱狂的な, 狂乱の, 狂気 (きょうき, kyouki)	미치다, 광분하다	crazy

81

讽刺	fěngcì	諷刺/風刺(ふうし), 皮肉 (ひにく, hiniku)	풍자(諷刺)	satire
否定	fǒudìng	否定 (ひてい, hitei)	부정(否定)	denial
否认	fǒurèn	否認 (ひにん, hinin)	부인(否認)	deny
扶	fú	手で支える, 助け起こす (たすけおこす, tasukeokosu)	떠받치다, 부축하다, 돕다, 짚다	support, steady, help
服装	fú zhuāng	服装(ふくそう), 服(ふく, fuku)	복장(服裝)	clothing
幅	fú	幅 (はば, haba)	폭, 넓이, 가장자리	width, range, size
辅导	fǔdǎo	コーチする, カウンセリング(kaunseringu)	도우며 지도하다	coach
妇女	fùnǚ	婦女(ふじょ), 女性 (じょせい, josei)	여성, 부녀(婦女)	woman
复制	fùzhì	複製(ふくせい), コピー(kopii)	복제(複製)	reproduce
改革	gǎigé	改革 (かいかく, kaikaku)	개혁(改革)	reform
改进	gǎijìn	改進(かいしん, kaisin)	개진(改進), 개량, 개수, 개선	improve, improvement
改善	gǎishàn	改善 (かいぜん, kaizen)	개선(改善)	improve, improvement
改正	gǎizhèng	改正(かいせい, kaisei)	시정, 개정(改正)하다	correction, correct
盖	gài	覆(おお)い, ふた (huta)	덮개, 뚜껑	cover
概括	gàikuò	概括(がいかつ), 要約 (ようやく, youyaku)	간단하게 요약하다, 개괄(概括), 대략적이다	summary, summarize, brief
概念	gàiniàn	概念(がいねん), コンセプト(konseputo)	개념(概念)	concept

干脆	gāncuì	さっぱりしている, はきはきと, あっさりと, きっぱりと (kitparito)	명쾌하다, 간단명료하다, 시원스럽게, 전혀	frankly, direct, just
干燥	gānzào	乾燥 (かんそう, kansou)	건조	dry
赶紧	gǎnjǐn	急いで (いそいで, isoide)	서둘러, 급히, 재빨리	quickly, hurry up
赶快	gǎnkuài	早く (はやく, hayaku)	빨리, 어서, 얼른	at once
感激	gǎnjī	感謝 (かんしや, kansha)	감사(感謝)	gratitude
感受	gǎnshòu	感受(かんじゅ), 感じる (かんじる, kanjiru)	인상, 느낌, 감명, 감수(感受)하다 (ex. 감수성있는)	feel, impression
感想	gǎnxiǎng	感想 (かんそう, kansou)	감상(感想)	thoughts
干活儿	gànhuór	仕事 (しごと, shigoto)	(육체적인)일을 하다	work, labor
钢铁	gāngtiě	鋼鉄 (こうてつ, koutetsu)	강철(鋼鐵)	steel
高档	gāodàng	ハイエンド (haiendo)	고급의, 상등의	high-end, top quality
高级	gāojí	高級な(こうきゅうな, kokyuna)	고급(高級), 상급	high-level, senior, high-quality
搞	gǎo	作る, する, やる (yaru)	하다, 시행하다, 종사하다, 꾸미다, 손보다	do, make, get
告别	gàobié	告別(こくべつ), 別れ (わかれ, wakare)	이별하다, 작별인사를 하다, 고별(告別)	farewell
格外	géwài	格別 (かくべつ, kakubetsu)	특별히, 각별히, 유달리, 그 외에	especially, additionally

隔壁	gébì	隣家（りんか）, 隣（となり, tonari）	옆집, 이웃	next door
个别	gèbié	個別（こべつ）, 個々（ここ, koko）	개별(個別)	individual, a couple of
个人	gèrén	個人（こじん, kojin）	개인(個人)	individual, oneself
个性	gèxìng	個性（こせい, kosei）	개성(個性)	personality
各自	gèzì	各自（かくじ）, それぞれ（sorezore）	각자(各自)	each
根	gēn	ルート（ruuto）	뿌리, 자손	root
根本	gēnběn	根本（こんぽん, konpon）	근본(根本)	fundamental
工厂	gōng chǎng	工場（こうじょう, koujou）	공장	factory
工程师	gōng chéngshī	エンジニア（enjinia）	기사(技師)	engineer
工具	gōngjù	工具（こうぐ）, ツール（tsuuru）	도구, 공구(工具)	tool
工人	gōngrén	労働者（ろうどうしゃ, roudousha）	노동자	worker
工业	gōngyè	工業（こうぎょう, kougyou）	공업(工業)	industry
公布	gōngbù	公布（こうふ）, 公表（こうひょう, kouhyou）	공포(公布)하다	announce
公开	gōngkāi	公開（こうかい, koukai）	공개(公開)	public, make public
公平	gong píng	公平（こうへい）, フェア（fearu）	공평(公平)	fair
公寓	gōngyù	アパート（apaato）	아파트	apartment
公元	gong yuán	西暦（せきれき, seki-reki）	서기(西紀)	A.D. (anno domini)
公主	gōngzhǔ	公主（こうしゅ）, プリンセス（purinsesu）	공주(公主)	princess

功能	gong néng	機能（きのう, kinou）	작용, 효능, 활동 능력, 기능(機能)	function
恭喜	gōngxǐ	おめでとう（omedetou）	축하하다, 일하다	congratulations
贡献	gòngxiàn	貢献（こうけん, kouken）	공헌(貢獻)	contribution
沟通	gōutōng	交流する, コミュニケーション （komyunikeeshon）	통하다, 교류하다, 소통	communicate
构成	gòu chéng	構成（こうせい, kousei）	구성(構成)	constitute, compose, line- up, composition
姑姑	gūgū	（父方の姉妹）おば(oba)	고모	aunt
姑娘	gūniáng	娘（むすめ, musume）	딸	daughter
古代	gǔdài	古代（こだい, kodai）	고대(古代)	ancient
古典	gǔdiǎn	古典（こてん, koten）	고전(古典)	classical
股票	gǔpiào	株券（かぶけん, kabuken）	주식, 증권	stocks
骨头	gǔtou	骨（ほね, hone）	뼈	bone
鼓舞	gǔwǔ	鼓舞（こぶ, kowu）	격려하다, 고무(鼓舞)하다	inspire, inspiring
鼓掌	gǔzhǎng	拍手（はくしゅ, hakushu）	박수치다	applaud
固定	gùdìng	固定（こてい, kotei）	고정(固定)	fixed
挂号	guàhào	書留(かきと)め, 届け出る(とどけでる, todokederu)	신청하다, 등록하다, 등기로 부치다	registered, register
乖	guāi	おとなしい, 賢い （かしこい, kashikoi）	순종하다, 얌전하다, 영리하다	obedient

拐弯	guǎiwān	角を曲がる（かどをまがる、katowomagaru）	돌아가다, 굽이돌다, 방향을 바꾸다	turn
怪不得	guài bùdé	～するのも無理はない（surunomoriuwanai）	과연, 그러기에, 책망할 수 없다	no wonder
关闭	guānbì	閉じる（とじる、tojiru）	닫다, 파산하다	close
观察	guānchá	観察（かんさつ、kansatsu）	관찰(觀察)	observe
观点	guāndiǎn	観点（かんてん）、見解（けんかい、kenkai）	견해, 관점(觀點)	viewpoint
观念	guān niàn	観念（かんねん、kannen）	개념, 관념(觀念)	concept
官	guān	政府の、公共の、役人（やくにん、yakunin）	관리, 관청의	official
管子	guǎnzi	パイプ（paipu）	파이프, 관, 통	pipe
冠军	guànjūn	優勝、チャンピオン（chanpion）	우승, 우승자, 우승팀	champion
光滑	guāng huá	つるつるしている、スムーズである（sumuuzudearu）	매끄럽다, 반들반들하다	smooth
光临	guānglín	訪れる（おとずれる、otozureru）	방문하다, 왕림하다	visit, be present
光明	guāngmíng	光明（こうみょう）、明るい（あかるい、akarui）	밝다, 유망하다, 광명(光明)	brightness
光盘	guāng pán	光ディスク（hikaridisuku）	시디롬	cd-rom
广场	guǎngchǎng	広場（ひろば、hiroba）	광장(廣場)	square
广大	guǎngdà	広大（こうだい、koudai）	광대(廣大)	vast, numerous
广泛	guǎng fàn	広範な（こうはんな、kouhanna）	광범(廣範)하다, 폭 넓다	wide-ranging

归纳	guīnà	まとめる, 帰納(きのう, kinou)	귀납(歸納)하다	sum~up, summarize
规矩	guīju	掟 (おきて, okite)	규율, 표준, 단정하다	rules
规律	guīlù	規律(きりつ, ruuru)	규율(規律)	discipline
规模	guīmó	規模 (きぼ, kibo)	규모(規模)	scale
规则	guīzé	規則 (きそく, kisoku)	규칙(規則)	regulations
柜台	guìtái	カウンター (kauntaa)	계산대	counter
滚	gǔn	回す, 転がる (ころがる, korogaru)	굴러가다, 구르다, 굴리다, 돌다	roll, get lost, boil
锅	guō	鍋 (なべ, nabe)	냄비	pot
国庆节	guóqìng jié	国慶節 (こっけいせつ, kokkeisetu)	건국 기념일, 국경절	national day
国王	guówáng	国王 (こくおう, kokou)	국왕(國王)	king
果然	guǒrán	やっぱり, 果たして, ～なのなら, もし(mosi)	과연, 만약~한다면	indeed, really, sure enough
果实	guǒshí	果実(かじつ, kazitsu)	수확, 성과, 과실(果實)	fruit
过分	guòfèn	過分 (かぶん, kabun)	지나치다, 과분(過分)하다	excessive
过敏	guòmǐn	アレルギー (arerugii)	알레르기, 예민하다	allergy
过期	guòqī	期限が過ぎる (きげんがすぎる, kigenggasugiru)	만료되다, 기한을 넘기다	expire
哈	hā	あはは, はは (haha)	하하	ha
海关	hǎiguān	税関 (ぜいかん, zeikan)	세관	customs
海鲜	hǎixiān	海産物, シーフード (shiifoodo)	해산물	seafood

喊	hǎn	わめく, 叫ぶ (さけぶ, sakebu)	소리치다, 외치다, 부르다	shout
行业	hángyè	職業 (しょくぎょう, shokugyou)	업무, 직업	industry
豪华	háohuá	豪華(ごうか), ラグジュアリー (ragujuarii)	호화(豪華)롭다, 사치스럽다	luxurious
好客	hàokè	客好きである (きゃくずきである, kyakuzukidearu)	손님을 잘 대한다	hospitable
好奇	hàoqí	好奇心がある (こうきしんがある, koukishingaaru)	호기(好奇)심이 많다, 신기한 것을 좋아하다	curious
合法	héfǎ	合法 (ごうほう, gouhou)	합법(合法)적인	legal
合理	hé lǐ	合理的 (ごうりてき, gouriteki)	합리(合理)적이다	rational
合同	hé tóng	契約 (けいやく, keiyaku)	계약	contract
合影	héyǐng	一同で撮影する, グループ写真 (gurūpu shashin)	함께 사진 찍다, 단체 사진	group photo
合作	hézuò	合作(がっさく), 協力 (きょうりょく, kyouryoku)	협력, 합작(合作)	cooperate
何必	hé bì	～しなくてもいいじゃないか, ～の必要はないだろう (nohitsuyouwanaidarou)	구태여[하필]~할 필요가 있나	why bother
何况	hékuàng	～ならなおさらだ, おまけに, なお (nao)	게다가, 하물며, 더군다나	moreover
和平	hépíng	平和 (へいわ, heiwa)	평화(平和)	peace
核心	héxīn	核心(かくしん, kakushin)	핵심(核心)	core

恨	hèn	恨む（うらむ, uramu）	한(恨), 원망하다, 회한하다	hate, regret
猴子	hóuzi	猿（さる, saru）	원숭이	monkey
后背	hòubèi	背中（せなか, senaka）	등	back
后果	hòuguǒ	（悪い）結果（けっか, kekka）	후과, (좋지 못한)최후의 결과	consequence
呼吸	hūxī	呼吸（こきゅう, kokyuu）	호흡(呼吸)	breathe
忽然	hūrán	忽然(こつぜん)，突然（とつぜん, totsuzen）	돌연, 갑자기, 홀연(忽然)히	suddenly
忽视	hūshì	ないがしろにする，軽んじる，無視（むし, mushi）	소홀히 하다, 경시하다	neglect
胡说	húshuō	たわごとをぬかす，でたらめをいう（detaramewoiu）	터무니없는 말을 하다, 허튼소리	talk nonsense
胡同	hútòng	路地(ろじ)，フートン(huton)	골목길	lane
壶	hú	壷（つぼ, tsubp）	주전자	pot
蝴蝶	húdié	チョウ（chyou）	나비	butterfly
糊涂	hútú	はっきりしない，ぼやけた（boyaketa）	어리석은	confused, chaotic
花生	huā shēng	落花生(らっかせい)，ピーナッツ（piinattsu）	땅콩	peanut
划	huá	船をこぐ（hunewokoku）	(배를) 젓다	paddle
华裔	huáyì	華人（かじん, kajin）	화교	chinese descent
滑	huá	つるつるの，滑る（すべる, suberu）	미끄러지다, 매끈매끈하다	slippery, smooth, crafty
化学	huàxué	化学（かがく, kagaku）	화학(化學)	chemistry

话题	huàtí	話題 (わだい, wadai)	화제(話題)	topic
怀念	huáiniàn	恋しい, 懐かしむ (なつかしむ, natsukashimu)	그리워하다, 그리다	cherish
怀孕	huáiyùn	妊娠 (にんしん, ninshin)	임신하다	pregnant
缓解	huǎnjiě	和らぐ, 緩(ゆる)む, 軽減 (けいげん, keigen)	완화하다, 풀어지다	relieve, alleviate
幻想	huàn xiǎng	幻想 (げんそう, gensou)	환상(幻想)	fantasy
慌张	huāng zhāng	そそっかしい, そわそわする, うろたえる, あわてる (awateru)	당황하다, 덤벙거리다, 안절부절	panic, nervous
黄金	huángjīn	黄金 (おうごん, ougon)	황금(黃金)	gold
灰	huī	ほこり, 灰 (はい, hai)	재, 먼지, 석회	ash, dust, lime
灰尘	huīchén	ちり (chiri)	먼지	dust
灰心	huīxīn	気落ちする, がっかりする (gakkarisuru)	낙담하다, 낙심하다	disheartened
挥	huī	振るう, ぬぐう, 振り回す (ふりまわす, hurimawasu)	흔들다, 휘두르다, 닦다	wave, wipe~away, command
恢复	huīfù	恢復, 回復 (かいふく, kaifuku)	회복(恢復, 回復)	recover
汇率	huìlǜ	為替 (かわせ, kawase)	환율	exchange rate
婚礼	hūnlǐ	婚礼(こんれい), 結婚式 (けっこんしき, kekkonshiki)	결혼식, 혼례(婚禮)	wedding
婚姻	hūnyīn	婚姻(こんいん), 結婚 (けっこん, kekkon)	결혼, 혼인(婚姻)	marriage
活跃	huóyuè	活躍(かつやく), 活動的 (かつどうてき, katsudouteki)	활약(活躍)하다, 활발히 하다, 활동적이다	active, invigorate, brisk

火柴	huǒchái	マッチ（matchi）	성냥	match
伙伴	huǒbàn	パートナー（paatona）	전우, 분대원, 동료	companion
或许	huòxǔ	もしかすると，ひょっとしたら，あるいは（aruiwa）	아마, 혹시, 어쩌면	perhaps
机器	jīqì	機械, 機器（きき，kiki）	기계, 기구, 기기(機器)	machine
肌肉	jīròu	筋肉（きんにく，kinniku）	근육(筋肉)	muscle
基本	jīběn	基本（きほん，kihon）	기본(基本)	basic
激烈	jīliè	激烈（げきれつ，gekiretsu）	격렬(激烈)	intense
及格	jí gé	合格する（ごうかくする，goukakusuru）	합격	pass
极其	jíqí	きわめて，非常に（ひじょうに，hijouni）	지극히, 매우	extremely
急忙	jímáng	慌ただしく，急いで（いそいで，isoide）	급하다, 바쁘다	hurriedly
急诊	jízhěn	救急の（きゅうきゅうの，kyukyuno）	응급의	emergency treatment
集合	jíhé	集合（しゅうごう，syugou）	집합(集合), 모으다	assemble
集体	jítǐ	集団（しゅうだん，shuudan）	집단	collective
集中	jízhōng	集中（しゅうちゅう，shuuchuu）	집중(集中)	concentration
计算	jìsuàn	計算（けいさん，keisan）	계산(計算)	calculate
记录	jìlù	記録（きろく，kiroku）	기록(記錄)하다, 서기	record, write~down
记忆	jìyì	記憶（きおく，kioku）	기억(記憶)	memory, remember
纪录	jìlù	記録（きろく，kiroku）	기록(紀錄)하다, 최고 기록	record, notes
纪律	jìlù	規律（きりつ，kiritsu）	규율(規律), 기강, 법칙	discipline
纪念	jìniàn	記念/紀念（きねん，kinen）	기념(紀念)	commemorate

系领带	jìlǐngdài	ネクタイを締める (ねくたいをしめる, nekutai o shimeru)	넥타이를 매다	tie a necktie
寂寞	jìmò	寂寞(せきばく), 孤独 (こどく, kodoku)	적막(寂寞)하다, 쓸쓸하다, 고요하다	lonely
夹子	jiāzi	クリップ (kurippu)	클립, 집게	clip, tong, clamp, binder, folder
家庭	jiātíng	家庭 (かてい, katei)	가정(家庭)	family
家务	jiāwù	家事 (かじ, kaji)	가사, 집안일, 가산	household
家乡	jiāxiāng	故郷 (ふるさと, furusato)	고향	hometown
嘉宾	jiābīn	賓客 (ひんきゃく, hinkyaku)	귀한 손님, 가빈(嘉賓)	guest
甲	jiǎ	第一の, つめ, 甲 (きのえ, kinoe)	갑, 제일의, 껍데기	first (rank), shell, armour
假如	jiǎrú	もし〜ならば (moshi naraba)	만약, 가령	if
假设	jiǎshè	仮説 (かせつ, kasetsu)	가정하다, 가설(假說)	assume
假装	jiǎ zhuāng	仮装(かそう), 〜のふりをする (nohuriwosuru)	가장(假裝)하다, 짐짓~체 하다	pretend
价值	jiàzhí	価値 (かち, kachi)	가치(價值)	value
驾驶	jiàshǐ	運転する (うんてんする, unten suru)	운전하다, 조종하다	drive, steer
嫁	jià	結婚する (けっこんする, kekkon suru)	시집가다	marry (as a woman), shift the blame
坚决	jiānjué	決然として, 断固たる (だんこたる, dankotaru)	단호하다, 결연하다	resolute
坚强	jiānqiáng	堅強(けんきょう), 強固な (きょうこな, kyoukona)	견강(堅強), 강하다, 굳세다, 공고히 하다	strong

肩膀	jiānbǎng	肩（かた，kata）	어깨	shoulder
艰巨	jiānjù	はなはだ困難である，骨が折れる（ほねがおれる，honeraoreru）	어렵다, 간고하고도 막중하다	arduous, formidable
艰苦	jiānkǔ	苦しい，艱苦(かんく)，大変だ（たいへんだ，taihenda）	힘들고 어렵다, 간고(艱苦)하다, 고달프다	hard, harsh
兼职	jiānzhí	兼任する，兼職（けんしょく，kensyoku）	겸직(兼職)하다	part-time job, have more than one job
捡	jiǎn	拾う（ひろう，hirou）	줍다, 거두다, 고르다	pick up
剪刀	jiǎndāo	ハサミ（hasami）	가위	scissors
简历	jiǎnlì	履歴書（りれきしょ，rirekisho）	이력서, 약력	resume
简直	jiǎnzhí	全く，まるっきり，まるで（marude）	솔직하게, 그야말로, 차라리	simply
建立	jiànlì	建立(けんりつ，kenritsu)	건립(建立)	establish
建设	jiànshè	建設（けんせつ，kensetsu）	건설(建設)	construction
建筑	jiànzhú	建築（けんちく，kenchiku）	건축(建築)하다, 건축물	building, build
健身	jiànshēn	体を鍛える（からだをきたえる，karadawokitaeru）	몸을 튼튼히 하다.	exercise, keep fit
键盘	jiànpán	キーボード（kībōdo）	건반	keyboard
讲究	jiǎngjiu	講究(こうきゅう)，重んじる，こだわる（kodawaru）	강구(講究), 중히 여기다, 정교하다	be particular about
讲座	jiǎngzuò	講座（こうざ，kouza）	강좌(講座)	lecture

酱油	jiàngyóu	醤油（しょうゆ, shouyu）	간장	soy sauce
交换	jiāohuàn	交換（こうかん, koukan）	교환(交換)	exchange
交际	jiāojì	交際（こうさい, kousai）	교제(交際)	socialize
交往	jiāowǎng	交際，付き合う，交流（こうりゅう, kouryuu）	왕래하다, 상종하다	have contact
浇	jiāo	灌漑する，（水を)かける（みずをかける, mizu okakeru）	뿌리다, 끼얹다	pour, irrigate, water, soack
胶水	jiāoshuǐ	接着剤，のり（nori）	고무풀	glue
角度	jiǎodù	角度（かくど, kakudo）	각도(角度)	angle
狡猾	jiǎohuá	狡猾だ（こうかつだ, koukatsuda）	교활(狡猾), 간사하다	cunning
教材	jiàocái	教材（きょうざい, kyouzai）	교재(教材)	teaching material
教练	jiàoliàn	教練（きょうれん），コーチ（kōchi）	교련(教鍊)하다, 코치	coach
教训	jiàoxùn	教訓（きょうくん, kyoukun）	교훈(教訓)	lesson
阶段	jiēduàn	階段（かいだん），段階（だんかい, dankai）	계단(階段), 단계(段階)	stage
结实	jiēshí	（結實)丈夫な，しっかりした(sitkarisita)	(結實)단단하다, 굳다, 견실하다	solid
接触	jiēchù	接触（せっしょく, sesshoku）	접촉(接觸)	contact
接待	jiēdài	接待（せったい, settai）	접대(接待), 응접하다	receive
接近	jiējìn	接近（せっきん, sekkin）	접근(接近)하다	approach
节省	jiéshěng	節約（せつやく, setsuyaku）	절약하다	save
结构	jiégòu	仕組み，構造（こうぞう, kouzou）	구조, 구성, 기구, 구조물	structure
结合	jiéhé	結合（けつごう, ketsugou）	결합(結合)	combine

结论	jiélùn	結論（けつろん，ketsuron）	결론(結論)	conclusion
结账	jiézhàng	清算をする，計算する（けいさんする，keisan suru）	계산하다, 장부를 결산하다	settle up
戒	jiè	警戒する(けいかいする，keikaisuru)	경계하다, 끊다	abstain
戒指	jièzhǐ	指輪（ゆびわ，yubiwa）	반지	ring
届	jiè	（量詞)回，期，至る（いたる，itaru）	(때가) 되다, 차(次), 회(回)	session, fall due
借口	jièkǒu	口実（こうじつ，kouzitsu）	구실로 삼다, 핑계, 변명	excuse
金属	jīnshǔ	金属（きんぞく，kinzoku）	금속(金屬)	metal
尽快	jǐnkuài	なるべく早く（narubekuhayaku）	되도록 빨리	as soon as possible
尽量	jǐnliàng	出来るだけ，なるべく（narubeku）	가능한, 되도록, 최대한	as much as possible
紧急	jǐnjí	緊急（きんきゅう，kinkyū）	긴급(緊急)	urgent
谨慎	jǐnshèn	慎重(しんちょう，shinchou)である	신중하다	cautious
尽力	jìnlì	尽力する(じんりょくする，zinryokusuru)	최선을 다하다	make an effort, try one's hardest
进步	jìnbù	進歩（しんぽ，shinpo）	진보(進步), 진보적이다	progress, improve, advanced
进口	jìnkǒu	輸入（ゆにゅう，yunyuu）	수입하다, 입항	import
近代	jìndài	近代（きんだい，kindai）	근대(近代)	modern
经典	jīngdiǎn	経典(けいてん，keiten)	고전, 경전(經典)	classics

经商	jīng shāng	商売(しょうばい, syoubai)を営む	장사하다	do business
经营	jīngyíng	経営 (けいえい, keiei)	경영(經營), 운영하다, 취급하다	manage
精力	jīnglì	精力 (せいりょく, seiryoku)	정력(精力)	energy
精神	jīngshén	精神 (せいしん, seishin)	정신(精神)	spirit
酒吧	jiǔbā	バー (baa)	바, (서양식) 술집	bar
救	jiù	救う (すくう, sukuu)	구조하다, 구하다, 구제	save
救护车	jiùhùchē	救急車 (きゅうきゅうしゃ, kyūkyūsha)	구급차	ambulance
舅舅	jiùjiu	おじさん (ojisan)	외삼촌	uncle (mother's brother)
居然	jūrán	思いがけず, 意外にも (いがいにも, igainimo)	뜻밖에, 의외로, 확연히	unexpectedly
桔子	júzi	ミカン, オレンジ (orenji)	귤	orange
巨大	jùdà	巨大 (きょだい, kyodai)	거대(巨大)하다	huge
具备	jùbèi	具備する, 備える (そなえる, sonaeru)	갖추다, 구비하다	possess
具体	jùtǐ	具体的 (ぐたいてき, gutaiteki)	구체(具體)적이다	specific
俱乐部	jùlèbù	クラブ (kurabu)	클럽, 구락부(俱樂部)	club
据说	jùshuō	話によると, ~そうである, ~という(toiu)	말하는 바에 의하면, 듣건대	it is said...
捐	juān	なげうつ, 捨てる, 寄付する (きふする, kifu suru)	기부하다, 버리다, 포기하다, 부조하다	donate, relinquish, levy
决赛	juésài	決勝 (けっしょう, kesshō)	결승	final match

决心	juéxīn	決心 （けっしん, kesshin）	결심(決心)	determination
角色	juésè	配役, 役割 （やくわり, yakuwari）	역할, 배역	role
绝对	juéduì	絶対 （ぜったい, zettai）	절대(絕對), 절대로, 몹시	absolutely
军事	jūnshì	軍事 （ぐんじ, gunji）	군사(軍事), 군대·전쟁 따위에 관한 일	military
均匀	jūnyún	均等(きんとう, kintō)である	고르다, 균등하다	even
卡车	kǎchē	トラック （torakku）	트럭	truck
开发	kāifā	開発 （かいはつ, kaihatsu）	개발(開發)	development
开放	kāifàng	開放(かいほう, kaihou)	개방(開放), 피다, 해제하다	open
开幕式	kāimùshì	開幕式 （かいまくしき, kaimakusiki）	개막식(開幕式)	opening ceremony
开水	kāishuǐ	煮え湯, 水 （みず, mizu）	끓인 물	boiled water
砍	kǎn	たたき切る （たたききる, tatakikiru）	(도끼로) 찍다, 줄이다	chop
看不起	kànbuqǐ	ばかにする, 見下す （みくだす, mikudasu）	업신여기다, 깔보다	look down on
看望	kànwàng	訪ねる （たずねる, tazuneru）	방문하다	visit
靠	kào	依存する, 頼る （たよる, tayoru）	기대다, 기대어 두다	rely on, lean, keep to
颗	kē	粒(りゅう), 錠 （じょう, zyou）	알, 방울	a measure word for small, round objects
可见	kějiàn	～から～であることがわかる 見える(みえる, mieru)	볼 수 있다	visible

可靠	kěkào	信頼できる (しんらいできる, shinraidekiru)	믿을 만하다, 믿음직하다	reliable
可怕	kěpà	怖い (こわい, kowai)	두렵다, 무섭다, 끔찍하다	scary, frightening
克	kè	打ち勝つ, 〜できる (dekiru)	~할 수 있다, 잘하다, 그램	restrain, gram, overcome
克服	kèfú	克服 (こくふく, kokufuku)	극복하다(克復)	overcome
刻苦	kèkǔ	一生懸命に努力する, 苦労(くろう, kurou)して がんばる	고생을 참아 내다, 몹시 애를 쓰다	hardworking
客观	kèguān	客観的 (きゃっかんてき, kyakkanteiki)	객관(客觀)적이다	objective
课程	kèchéng	課程 (けいてい, keitei)	과정(過程)	curriculum
空间	kōngxián	空間 (くうかん, kuukan)	공간(空間)	space
空闲	kōngxián	暇 (ひま, hima)	여가, 비어 있다, 한가하다	free time, be free
控制	kòngzhì	制御(せいぎょ), コントロール (kontorōru)	제압하다, 규제하다, 억제하다	control
口味	kǒuwèi	味 (あじ, aji)	맛, 기호	taste
夸	kuā	大げさに言う, 褒める (ほめる, homeru)	칭찬하다, 과장하다	praise, exaggerate
夸张	kuā zhāng	誇張 (こちょう, kochou)	과장(誇張)하다	exaggerate
会计	kuàiji	会計 (かいけい, kaikei)	회계(會計)	accounting, accountant
宽	kuān	幅, 広い (ひろい, hiroi)	폭, 너비, 넓다, 느슨하다	wide, broad, lenient

昆虫	kūnchóng	昆虫 (こんちゅう, konchu)	곤충(昆蟲)	insect
扩大	kuòdà	拡大 (かくだい, kakudai)	확대(擴大)	expand
辣椒	làjiāo	とうがらし (tougarashi)	고추	chili pepper
拦	lán	遮る (さえぎる, saegiru)	막다, 저지하다, 마주 대하다	block, stop
烂	làn	ボロボロの, 腐る (くさる, kusaru)	흐물흐물 하다, 헐다, 뒤죽박죽이다	soft, worn-out, messy
朗读	lǎngdú	朗読 (ろうどく, roudoku)	낭독(朗讀)	read aloud
劳动	láodòng	労働 (ろうどう, roudou)	노동(勞動)	labor
劳驾	láojia	ご苦労さま, すみません (sumimasen)	수고하셨습니다, 왕림하다	excuse me
老百姓	lǎobǎixìng	庶民 (しょみん, shomin)	평민, 백성	common people
老板	lǎobǎn	社長 (しゃちょう, shachou)	사장, 주인, 지배인	boss
老婆	lǎopó	妻 (つま, tsuma)	아내	wife
老实	lǎoshi	おとなしい, まじめな, 正直な (しょうじきな, shoujikina)	솔직하다, 온순하다, 어리석다	honest, naïve, gullible
老鼠	lǎoshǔ	ねずみ(nezumi)	쥐	mouse
姥姥	lǎolao	(母方の)おばあさん (obaasan)	외할머니	grandma
乐观	lèguān	楽観的 (らっかんてき, rakkanteki)	낙관(樂觀)적	optimistic
雷	léi	雷 (かみなり, kaminari)	천둥, 우레	thunder
类型	lèixíng	類型 (るいけい, ruikei)	유형(類型)	type
冷淡	lěngdàn	冷たい, 冷淡な (れいたんな, reitanna)	냉담(冷淡), 쓸쓸하다, 냉정하다, 냉대하다	cold, cold-shoulder

厘米	límǐ	センチメートル (senchimētoru)	센티미터	centimeter
离婚	líhūn	離婚 (りこん, rikon)	이혼(離婚)	divorce
梨	lí	なし(nashi)	배	pear
理论	lǐlùn	理論 (りろん, riron)	이론(理論)	theory
理由	lǐyóu	理由 (りゆう, riyuu)	이유(理由)	reason
力量	lìliàng	力量(りきりょう), 力 (ちから, chikara)	힘, 역량(力量)	strength
立即	lìjí	すぐに (suguni)	즉시, 곧, 냉큼	immediately
立刻	lìkè	直ちに (ただちに, tadachini)	즉각, 당장	immediately
利润	lìrùn	利潤(りじゅん), 利益 (りえき, rieki)	이윤(利潤)	profit
利息	lìxī	利子 (りし, rishi)	이자	interest
利益	lìyì	利益 (りえき, rieki)	이익(利益)	benefit
利用	lìyòng	利用 (りよう, riyou)	이용(利用)	utilize
连忙	liánmáng	急いで, あわてて (awatete)	얼른, 급히, 바삐	immediately, at once
连续	liánxù	連続 (れんぞく, renzoku)	연속(連續)	continuous
联合	liánhé	連合·聯合 (れんごう, rengou)	연합(聯合)	united
恋爱	liàn'ài	恋愛 (れんあい, ren'ai)	연애(戀愛)	love
良好	liánghǎo	良好 (りょうこう, ryoukou)	양호(良好)	good
粮食	liángshí	糧食 (りょうしょく, ryoushoku)	양식(糧食)	food
亮	liàng	光る, 明るい (あかるい, akarui)	밝다, 우렁차다, 분명하다	bright, clear, tolerant

了不起	liǎobuqǐ	すごい (sugoi)	보통이 아니다, 놀랍다, 뛰어나다	amazing, awesome
列车	lièchē	列車 (れっしゃ, ressha)	열차(列車)	train
临时	línshí	臨時 (りんじ, rinji)	때가 되다, 임시(臨時), 잠시	temporary
灵活	línghuó	融通が利く, 敏捷である(びんしょうである, binzyoudearu)	융통성 있다, 민첩하다	flexible
铃	líng	ベル (beru)	종, 방울	bell
零件	língjiàn	部品 (ぶひん, buhin)	부품, 부속품	component, spare parts
零食	língshí	スナック (sunakku)	과자	snack
领导	lǐngdǎo	領導(りょうどう), リーダー (riidā)	지도, 지도자, 영도(領導)하다	leader, lead
领域	lǐngyù	領域(りょういき), 分野 (ぶんや, bunya)	분야, 영역(領域)	field
浏览	liúlǎn	大まかに見る, 閲覧 (えつらん, etsuran)	대충 훑어보다, 대강 둘러보다	browse
流传	liúchuán	流傳(りゅうでん), 広く伝わる(つたわる, tsutawaru)	유전(流傳)하다, 세상에 널리 퍼지다	spread
流泪	liúlèi	泣く (なく, naku)	눈물을 흘리다	shed tears
龙	lóng	龍 (りゅう, ryuu)	용	dragon
漏	lòu	漏れる (もれる, moreru)	새다, 빠지다	leak, divulge, leave~out
陆地	lùdì	陸地 (りくち, rikuchi)	육지(陸地)	land
陆续	lùxù	次々に, 陸続と (りくぞくと, rikuzokuto)	육속(陸續) 끊임없이, 계속하여, 잇따라	successive, one after another

录取	lùqǔ	採用する, 採る（とる, toru）	(녹취:錄取의 한자이나 다른 뜻) 채용하다, 합격시키다	admission, admit
录音	lùyīn	録音（ろくおん, rokuon）	녹음(錄音)	recording
轮流	lúnliú	かわるがわる，交代で （こうたいで, kōtaide）	교대로 하다, 돌아가며 하다	take turns
论文	lùnwén	論文（ろんぶん, ronbun）	논문(論文)	thesis
逻辑	luóji	論理, ロジック（rojikku）	논리, 논리적이다	logic
落后	luòhòu	落後(らくご), 遅れる （おくれる, okureru）	낙오하다, 낙후(落後)	fall behind, backward
骂	mà	罵る（ののしる, nonoshiru）	욕하다	insult, tell~off
麦克风	màikè fēng	マイク（maiku）	마이크	microphone
馒头	mántou	饅頭（まんじゅう, manjuu）	만두(饅頭)	steamed bun
满足	mǎnzú	満足（まんぞく, manzoku）	만족(滿足)	satisfied
毛病	máobìng	癖(くせ), 故障, 欠点 （けってん, ketten）	결점, 흠, 나쁜 버릇	defect
矛盾	máodùn	矛盾（むじん, mujin）	모순(矛盾)	contradiction
冒险	màoxiǎn	冒険（ぼうけん, bouken）	모험(冒險)하다, 위험을 무릅쓰다	adventure
贸易	màoyì	貿易（ぼうえき, boueki）	무역(貿易)	trade
眉毛	méimáo	眉毛（まゆげ, mayuge）	눈썹	eyebrow
媒体	méitǐ	媒体(ばいたい), メディア（media）	매체(媒體), 매개물	media
煤炭	méitàn	石炭（せきたん, sekitan）	석탄	coal
美术	měishù	美術（びじゅつ, bijutsu）	미술(美術)	fine arts
魅力	mèilì	魅力（みりょく, miryoku）	매력(魅力)	charm

梦想	mèng xiǎng	夢想(むそう), 夢 (ゆめ, yume)	몽상(夢想), 망상, 헛된 생각	dream
秘密	mìmì	秘密 (ひみつ, himitsu)	비밀(祕密), 은밀하다	secret
秘书	mìshū	秘書 (ひしょ, hisho)	비서(祕書)	secretary
密切	mìqiè	密接 (みっせつ, missetsu)	밀접하다, 세심하다	closely, close
蜜蜂	mìfēng	蜜蜂 (みつばち, mitsubachi)	꿀벌	bee
面对	miànduì	向き合う, 直面 (ちょくめん, chokumen)	(對面) 직면하다, 마주보다	face
面积	miànjī	面積 (めんせき, menseki)	면적(面積)	area
面临	miànlín	～に面する, ～に直面(ちょくめん, chokumen)する	당면하다, 앞에 놓여 있다	face
苗条	miáotǐ	すらりとした, しなやかな, スリム (surimu)	날씬하다, 호리호리하다	slim
描写	miáoxiě	描写 (びょうしゃ, byōsha)	묘사(描寫), 본떠 그리다	describe
敏感	mǐngǎn	敏感 (びんかん, binkan)	민감(敏感)하다	sensitive
名牌	míngpái	名札, 有名銘柄(ゆうめいめいがら, yuumemegara)	유명 상표, 명패	famous name
名片	míng piàn	名刺 (めいし, meishi)	명함	business card
名胜古迹	míngshèng gǔjì	名所旧跡(きゅうせき), 名勝古跡 (めいしょこせき, meisho koseki)	명승 고적(名勝古跡)	Historic Site and Scenic Site
明确	míngquè	明確 (めいかく, meikaku)	명확(明確)하다, 명확하게 하다	clear-cut, clarify

明显	míngxiǎn	明賢(めいけん), はっきりしている, 明白(めいはく, meihaku)である	뚜렷하다, 분명하다, 분명히 드러나다, 명현(明顯)	obvious
明星	míng xīng	スター, (古)明星 (みょうじょう, myōjō)	인기스타, 금성, 명성(明星)	star, Venus
命令	mìnglìng	命令 (めいれい, meirei)	명령(命令)	command
命运	mìngyùn	命運(めいうん), 運命 (うんめい, unmei)	운명(運命), 명운(命運)	destiny, fate
摸	mō	手探りする, なでる, 触る (さわる, sawaru)	짚어보다, 모색하다, 더듬어 꺼내다	touch, stroke, fish ... out
模仿	mófǎng	模倣 (もほう, mohō)	모방(模倣)	imitate
模糊	móhu	模糊(もこ), ぼんやりている (bonyaridearu)	모호(模糊)하다, 흐리게 하다	blurry, blurred, ambiguous, fuzzy
模特	mótè	モデル (moderu)	모델	model
摩托车	mótuō chē	オートバイ (ōtobai)	오토바이	motorcycle
陌生	mò shēng	見慣れない, 見知らぬ (みしらぬ, misiranu)	생소하다, 낯설다	unfamiliar
某	mǒu	某(それがし/ぼう), ある(aru)	어느, 아무, 모(某)	certain
木头	mùtou	木 (き, ki)	목재, 나무	wood
目标	mùbiāo	目標(もくひょう), ターゲット (tāgetto)	목표(目標)	target
目录	mùlù	目録(もくろく), カタログ (katarogu)	목록(目錄), 목차	catalog, table of contents
目前	mùqián	現在 (げんざい, genzai)	현재, 목전(目前)	current

哪怕	nǎpà	～だとしても, たとえ～であっても(tatoe deattemo)	비록, 설령, 가령	even if, no matter
难怪	nánguài	無理もない, ～なはずだ, なるほど (naruhodo)	과연, 어쩐지, 당연하다	no wonder, be understandable
难免	nánmiǎn	～してしまうものだ, 避けられない (さけられない, sakerarenai)	피할 수 없다, 불가피하다	inevitable, be unavoidable
脑袋	nǎodai	頭 (あたま, atama)	뇌, 골, 뒤뇌	brain
内部	nèibù	内部 (ないぶ, naibu)	내부(內部)	internal
内科	nèikē	内科 (ないか, naika)	내과(內科)	internal medicine
嫩	nèn	(色が) 淡い, 柔らかい, 若い (わかい, wakai)	부드럽다, 만만하다, 연하다	tender
能干	nénggàn	腕がいい, 能力のある (のうりょくのある, nōryokuno aru)	능력이 뛰어나다, 유능하다	capable
能源	néng yuán	エネルギー源, エネルギー(enerugī)	에너지원	energy
嗯	ēn	ええ (ē)	응	hmm, yes, why
年代	niándài	年代 (ねんだい, nendai)	연대(年代)	era
年纪	niánjì	年齢 (ねんれい, nenrei)	나이	age
念	niàn	思う, 勉強する, 読む, 朗読 (ろうどく, roudoku)	생각하다, 염두, 읽다, 공부하다	read, study, idea
宁可	nìngkě	むしろ～するほうがよい, むしろ～しても (mushirositemo) (～しない)	차라리(...하는 것이 낫다), 오히려(...할지언정)	would rather

牛仔裤	niúzǎikù	ジーンズ（jīnzu）	청바지	jeans
农村	nóngcūn	農村（のうそん），田舍（いなか，inaka）	농촌(農村)	rural
农民	nóngmín	農民（のうみん，noumin）	농민(農民)	farmer
农业	nóngyè	農業（のうぎょう，nougyou）	농업(農業)	agriculture
浓	nóng	濃い（こい，koi）	짙다, 농후하다	thick, strong
女士	nǚshì	女史（じょし，josi）	숙녀, 여사	lady
欧洲	ōuzhōu	ヨーロッパ（yōroppa）	유럽	europe
偶然	ǒurán	偶然（ぐうぜん，guuzen）	우연(偶然)	accidental
拍	pāi	たたく，拍子，撮影（さつえい，satsuei）	손바닥으로 치다, (파도가)치다, 촬영	take a photo, beat, shoot, send
派	pài	タイプ，流派，派（は，ha）	파벌, 파, 기풍	faction, group, manner, set
盼望	pànwàng	待ち望む（まちのぞむ，matinozomu）	간절히 바라다, 희망하다, 근심하다	hope, long
培训	péixùn	（人材を）訓練し育成するトレーニング（torēningu）	훈련·양성하다	training
培养	péiyǎng	培養（ばいよう），育てる（そだてる，sodateru）	배양(培養), 키우다, 양성하다	cultivate
赔偿	péicháng	賠償（ばいしょう，baishou）	배상(賠償)하다	compensation
佩服	pèifú	敬服（けいふく，keihuku）	탄복하다, 감탄하다	admire
配合	pèihé	配合（はいごう），協力（きょうりょく，kyōryoku）	협동하다, 어울리다, 배합(配合)	coordinate, complementary
盆	pén	ボウル，鉢（はち，hachi）	대야 그릇	tray, basin
碰	pèng	試みる，突き当たる，ぶつかる（butsukaru）	부딪치다, 충돌하다, 대들다, 시도해 보다	collide, hit, bump into, take a chance

汉字	拼音	日本語	한국어	English
批	pī	平手で打つ，批判（ひはん，hihan）	손바닥으로 찰싹 갈기다, 비난, 대량 도매	comment, criticize
批准	pīzhǔn	批准(ひじゅん)，許可（きょか，kyoka）	비준(批准)하다, 허가	approve
披	pī	肩に引っかける，はおる（haoru）	(옷)걸치다, (책)펼치다, (머리)흐트러트리다	drape~ over one's shoulders, split
疲劳	píláo	疲労（ひろう，hirow）	피로(疲勞), 지치다	fatigue
匹	pǐ	匹敵する，つり合う，匹（ひき，hiki）	필적하다, 필(匹), 마리	match, bolt, a measure word
片	piàn	薄く平たいもの，かけら，片（かた，kata）	조각, 얇게 자르다	piece
片面	piànmiàn	片面（へんめん，henmen）	한쪽, 일방, 단편적이다, 편면(片面)	one-sided
飘	piāo	翻(ひるがえ)る，風に舞う（かぜにまう，kaze ni mau）	나부끼다, 펄럭이다	flutter, wobble
拼音	pīnyīn	ピンイン（pin'in）	병음	pinyin
频道	píndào	チャンネル（chan'neru）	채널	channel
平	píng	ならす，対等の，平らな（たいらな，tairana）	평평하다, 동격이다	flat, calm, ordinary
平安	píng'ān	平安（へいあん，heian）	평안(平安)	safe and sound
平常	píngcháng	普通の，ありふれた，平常（へいじょう，heizyou）	평상(平常), 평소, 보통이다	usually
平等	píng děng	平等（びょうどう，byōdō）	평등(平等)	equal
平方	píngfāng	二乗，平方（へいほう，heihou）	제곱, 평방(平方)	square, square meter

平衡	píng héng	平衡(へいこう), バランス (baransu)	균형, 평형(平衡)하다	balance
平静	píngjìng	平静 (へいせい, heisei)	평온, 평정(平靜)하다	calm
平均	píngjūn	平均 (へいきん, heikin)	평균(平均)	average
评价	píngjià	評価 (ひょうか, hyouka)	평가(評價)	evaluate
凭	píng	証拠, 頼る, たとえ〜でも, によって (niyotte)	~라 할지라도, 기대다, 의지하다, 증거	rely on, evidence, no matter
迫切	pòqiè	切実な, 切迫 (せっぱく, setpaku)	절박(切迫), 절실하다	urgent, pressing
破产	pòchǎn	破産 (はさん, hasan)	파산(破産)	bankruptcy
破坏	pòhuài	破壊 (はかい, hakai)	파괴(破壞), 훼손하다, 타파하다	destroy
期待	qídài	期待 (きたい, kitai)	기대(期待)	expectation
期间	qījiān	期間 (きかん, kikan)	기간(期間)	period
其余	qíyú	ほか(hoka) (のもの)	나머지, 남은 것	the rest
奇迹	qíjī	奇跡 (きせき, kiseki)	기적(奇跡)	miracle
企业	qǐyè	企業 (きぎょう, kigyou)	기업(企業)	enterprise
启发	qǐfā	啓発 (けいはつ, keihatsu)	계몽하다, 계발(啓發)	inspire
气氛	qìfēn	雰囲気 (ふんいき, fun'iki)	분위기	atmosphere
汽油	qìyóu	ガソリン (がそりん, gasorin)	휘발유	gasoline
谦虚	qiānxū	謙虚 (けんきょ, kenkyo)	겸손의 말을 하다, 겸허(謙虛)	modest, speak modestly
签	qiān	メモ, サインする, 署名する (しょめいする, shomei suru)	서명, 사인하다	sign, endorse, lot
前途	qiántú	前途 (ぜんと, zento)	전도(前途), 앞길, 전망	prospects

浅	qiǎn	短い，浅い（あさい，asai）	얕다, 좁다, 평이하다	shallow, easy, lacking
欠	qiàn	借りがある，体の一部を少し上に上げる，あくび（akubi）	하품하다, 발돋움하다, 빚지다	owe, lack, raise…slightly
枪	qiāng	銃（じゅう，juu）	총	gun
强调	qiáng diào	強調（きょうちょう，kyouchou）	강조(强調)	emphasize
强烈	qiángliè	強烈（きょうれつ，kyoutetsu）	강렬(强烈)하다, 선명하다	intense
墙	qiáng	壁（かべ，kabe）	벽, 담, 울타리	wall
抢	qiǎng	奪（うば）う，強奪（ごうだつ，goudatsu）	빼앗다, 약탈하다, 서두르다	snatch, rob, grab, forestall
悄悄	qiāoqiāo	密かに，こっそりと（kossorito）	조용하다, 은밀하다	quietly
瞧	qiáo	見る（みる，miru）	보다, 읽다, 판단하다	look
巧妙	qiǎomiào	巧妙（こうみょう，koumyou）	교묘(巧妙)하다	ingenious
切	qiè	切実である，ぴったりする（pittarisuru）	딱 들어맞다, 절실하다	cut, correspond to, eager, definitely
亲爱	qīn'ài	親愛（しんあい，shinai）	친애(親愛)하다	dear
亲切	qīnqiè	親切（しんせつ，sinsetsu）	친절(親切)하다	kind
亲自	qīnzì	自分で，自ら（みずから，mizukara）	직접, 몸소, 친히	personally
勤奋	qínfèn	勤勉（きんべん，kinben）	근면하다, 꾸준하다	diligent
青	qīng	青い（あおい，aoi）	푸르다	blue
青春	qīng chūn	青春（せいしゅん，seishun）	청춘(青春)	youth
青少年	qīng shàonián	青少年（せいしょうねん），若者（わかもの，wakamono）	청소년(青少年)	teenager

轻视	qīngshì	軽視(けいし), 軽蔑 (けいべつ, keibetsu)	경시(輕視)하다	despise
轻易	qīngyì	易々と (やすやすと, yasuyasuto)	수월하게, 함부로, 간단하다	easily
清淡	qīngdàn	清淡(せいたん), 淡(あわ)い, 薄い (うすい, usui)	청담(清淡), 참신하고 단아하다, 맑고 담백하다, 불경기이다	light, slack, non-oily
情景	qíngjǐng	情景 (じょうけい, joukei)	광경, 정경(情景), 장면	scene
情绪	qíngxù	情緒 (じょうちょ, jouchou)	정서(情緒), 기분, 불쾌한 감정, 우울	emotion
请求	qǐngqiú	請求(せいきゅう), 要求 (ようきゅう, youkyuu)	청구(請求)하다, 바라다, 요구	request
庆祝	qìngzhù	慶祝(けいしゅく), 祝う (いわう, iwau)	경축(慶祝)하다	celebrate
球迷	qiúmí	(サッカーや野球など球技の) ファン (fan)	스포츠팬	sports fan
趋势	qūshì	趨勢 (すうせい, suusei)	추세(趨勢)	trend
取消	qǔxiāo	取消 (とりけし, torikeshi)	취소(取消)하다, 없애다	cancel
娶	qǔ	結婚する (けっこんする, kekkon suru)	장가가다	marry (as a man)
去世	qùshì	亡くなる (なくなる, nakunaru)	사망하다	pass away
圈	quān	丸 (まる, maru)	동그라미, 원, 고리	circle
权力	quánlì	権力 (けんりょく, kenryoku)	권력(權力)	power
权利	quánlì	権利 (けんり, kenri)	권리(權利)	right

全面	quán miàn	全面(ぜんめん, zenmen)	전면(全面), 전반적이다	comprehensive
劝	quàn	勧める (すすめる, susumeru)	권하다, 권면하다, 설득하다	persuade
缺乏	quēfá	缺乏·欠乏 (けつぼう), 不足 (ふそく, fusoku)	결핍(缺乏)되다, 모자라다	lack
确定	quèdìng	確定 (かくてい, kakutei)	확정(確定), 확실히하다	determine
确认	quèrèn	確認 (かくにん, kakunin)	확인(確認)	confirm
群	qún	グループ, 群れ, 群れる (むれる, mureru)	무리, 군중, 무리를 이루다	group
燃烧	ránshāo	燃焼 (ねんしょう, nenshou)	연소(燃燒)	burn
绕	rào	巻く (まく, maku)	둘둘 감다, 우회하다, 뒤얽히다	go around, wind, make a detour
热爱	rè'ài	熱愛(ねつあい), 愛する (あいする, aisuru)	열애(熱愛), 열렬히 사랑하다	love
热烈	rèliè	熱烈 (ねつれつ, netsuretsu)	열렬(熱烈)하다	enthusiastic, heated
热心	rèxīn	熱心 (ねっしん, nesshin)	열심(熱心)이다, 친절하다	enthusiastic, warm-hearted
人才	réncái	人材 (じんざい, jinzai)	인재(人材)	talent
人口	rénkǒu	人口 (じんこう, jinkou)	인구(人口)	population
人类	rénlèi	人類 (じんるい, jinrui)	인류(人類)	humanity
人民币	rénmínbì	人民元 (じんみんげん, jinmingen)	인민폐	renminbi
人生	rénshēng	人生 (じんせい, jinsei)	인생(人生)	life

人事	rénshì	人事 （じんじ, jinji）	인사(人事)관계, 인간사	personnel
人物	rénwù	人物 （じんぶつ, jinbutsu）	인물(人物)	figure
人员	rényuán	人員 （じんいん, jinin）	인원(人員)	personnel
忍不住	rěn buzhù	こらえきれない, たまらない，我慢できない （がまんできない, gaman dekinai）	참을 수 없다, ~하지 않을 수 없다	can't help but, unable to bear
日常	rìcháng	日常 （にちじょう, nichijou）	일상(日常)	daily
日程	rìchéng	日程(にってい), スケジュール （sukejuuru）	일정(日程)	schedule
日历	rìlì	日めくり(ひめくり)カレンダー （himekurikarendaa）	일력	calendar
日期	rìqī	日付 （ひづけ, hidzuke）	날짜	date
日用品	rìyòngpǐn	日用品 （にちようひん, nichyouhin）	일용품(日用品)	daily necessities
日子	rìzi	日 （ひ, hi）	날, 날짜, 시간	day, date, life
如何	rúhé	どのように，いかに，どうして （dousite）	어떻게, 어떠한가, 어째서	how
如今	rújīn	いまごろ，今 （いま, ima）	지금, 이제, 오늘날	nowadays
软	ruǎn	柔和な，弱い，柔らかい （やわらかい, yawarakai）	부드럽다, 온화하다, 연약하다	soft, gentle, weak
软件	ruǎnjiàn	ソフトウェア （sofutowea）	소프트웨어	software
弱	ruò	弱い （よわい, yowai）	약하다, 젊다	weak
洒	sǎ	撒く （まく, maku）	(물을) 뿌리다, 살포하다	sprinkle
嗓子	sǎngzi	喉 （のど, nodo）	목소리, 목	throat

色彩	sècǎi	色彩 （しきさい, sikisai）	색채(色彩), 경향	color
杀	shā	殺す （ころす, korosu）	죽이다	kill
沙漠	shāmò	砂漠·沙漠 （さばく, sabaku）	사막(沙漠)	desert
沙滩	shātān	砂浜 （すなはま, sunahama）	모래사장, 백사장	beach
傻	shǎ	愚直な，愚かな （おろかな, orokana）	어리석다, 고지식하다	silly, inflexible
晒	shài	日に当てる，さらす，干す （ほす, hosu）	햇볕이 내리쬐다, 햇볕에 말리다.	shine upon, lie in the sun
删除	shānchú	削除 （さくじょ, sakujo）	삭제	delete
闪电	shǎndiàn	稲光(いなびかり)がする, 稲妻(いなずま, inazuma)が走る	번개, 번개가 번쩍하다	lightning
扇子	shànzi	扇 （おうぎ, ougi）	부채	fan
善良	shànliáng	善良 （せんりょう, senryou）	선량(善良)	kindness
善于	shànyú	堪能である, （〜するのが）うまい(umai)	~에 능통하다	be good at
伤害	shānghài	傷害 （しょうがい, shouga）	상해(傷害), 해치다	harm
商品	shāngpǐn	商品 （しょうひん, shouhin）	상품(商品)	goods
商务	shāngwù	常務 （じょうむ, zyoumu）	상무(常務)	business
商业	shāngyè	商業 （しょうぎょう, shougyou）	상업(商業)	commerce
上当	shàngdàng	騙される （だまされる, damasareru）	속다, 꾐에 빠지다	be fooled, be taken in
蛇	shé	蛇 （へび, hebi）	뱀	snake
舍不得	shěbude	〜しがたい, 〜するのがもったいない 〜することを惜しむ （おしむ, oshimu）	아쉽다, 미련이 남다	hesitate to part with, hate to give up, reluctant to let go

设备	shèbèi	設備 (せつび, setsubi)	갖추다, 설비(設備)	equipment
设计	shèjì	設計 (せっけい, setkei)	설계(設計)	design
设施	shèshī	施設 (しせつ, shisetsu)	시설(施設)	facility
射击	shèjī	射撃 (しゃげき, shageki)	사격(射擊)	shooting
摄影	shèyǐng	映画/写真を撮る (しゃしんをとる, shashin o toru)	촬영(하다)	photography
伸	shēn	広げる, 突き出す, 伸ばす (のばす, nobasu)	펴다, 펼치다, 내밀다	extend, stretch
身材	shēncái	体格 (たいかく, taikaku)	체격, 몸매	figure
身份	shēnfèn	身分 (みぶん, mibun)	신분(身分)	identity
深刻	shēnkè	深刻 (しんこく, shinkoku)	심각(深刻)	serious
神话	shénhuà	神話 (しんわ, shinwa)	신화(神話)	myth
神秘	shénmì	神秘 (しんぴ, shinpi)	신비(神祕)	mystery
升	shēng	昇(のぼ)る, 上る (あがる, agaru)	올리다, 오르다, 떠오르다	raise, promote
生产	shēngchǎn	生産 (せいさん, seisan)	생산(生産)	production
生动	shengdòng	生動(せいどう), 生き生きとした(いきいきとした, ikiikitosita)	생동(生動)감있다, 생생하다	lively
生长	shengzhǎng	生長, 成長 (せいちょう, seichou)	성장하다, 생장(生長)	growth
声调	shēngdiào	声調(せいちょう), 音調 (おんちょう, onchou)	음조, 말투, 어조, 성조(聲調)	tone
绳子	shéngzi	紐 (ひも, himo)	줄, 밧줄	rope
省略	shěnglüè	省略 (しょうりゃく, shouryaku)	생략(省略)	omission

胜利	shènglì	勝利 (しょうり, shouri)	승리(勝利)	victory
失眠	shīmián	不眠 (ふみん, humin)	불면	insomnia
失去	shīqù	失う (うしなう, ushinau)	잃다, 잃어버리다	lose
失业	shīyè	失業 (しつぎょう, shitsugyou)	실직, 실업(失業), 본업에 매진하지 않다	unemployment
诗	shī	詩 (し, shi)	시(詩)	poem
狮子	shīzi	獅子 (しし, shishi)	사자(獅子)	lion
湿润	shīrùn	湿潤 (しつじゅん, shitsujun)	습하다, 습윤(濕潤)	moist
石头	shítou	石 (いし, ishi)	돌	stone
时差	shíchā	時差 (じさ, jisa)	시차(時差)	time difference
时代	shídài	時代 (じだい, jidai)	시대(時代)	era
时刻	shíkè	時刻 (じこく, jikoku)	시각(時刻)	time
时髦	shímáo	モダンな，トレンディな，流行りの (はやりの, hayarino)	유행이다, 현대적	stylish, fashionable
时期	shíqī	時期 (じき, gizi)	시기(時期)	period
时尚	shíshàng	風潮(ふうちょう)，流行，ファッション (fasshon)	당시의 풍조, 시대적 풍모	fad
实话	shíhuà	実話 (じつわ, jitsuwa)	실화(實話)	truth
实践	shíjiàn	実践 (じっせん, jissen)	실천(實踐)	practice
实习	shíxí	実習(じっしゅう, zitsyu)	실습(實習), 견습하다	practice
实现	shíxiàn	実現 (じつげん, jitsugen)	실현(實現)	achieve
实验	shíyàn	実験 (じっけん, jikken)	실험(實驗)	experiment
实用	shíyòng	実用 (じつよう, jitsuyou)	실용(實用)	practical

食物	shíwù	食物(しょくもつ), 食べ物 (たべもの, tabemono)	음식물(飮食物)	food
使劲儿	shǐjìnr	力む (りきむ, ikimu)	힘을 쓰다	exert force
始终	shǐzhōng	始終(しじゅう), 常に (つねに, tsune ni)	항상, 시종(始終)	always, all along
士兵	shìbīng	兵士 (へいし, heishi)	병사, 사병(士兵)	soldier
市场	shìchǎng	市場 (しじょう, shijou)	시장(市場)	market
似的	shìde	～らしい, ～みたいだ, ～のようだ (no youda)	(마치) ~과 같다	seems like
事实	shìshí	事実 (じじつ, jijitsu)	사실(事實)	fact
事物	shìwù	事物 (じぶつ, jibutsu)	사물(事物)	thing
事先	shìxiān	事前 (じぜん, jizen)	미리, 사전	in advance
试卷	shìjuàn	試験用紙 (しけんようし, shiken youshi)	시험지	test paper
收获	shōuhuò	収穫 (しゅうかく, shuukaku)	수확(收穫)	harvest
收据	shōujù	レシート, 受領書 (じゅりょうしょ, juryousho)	영수증, 수취증	receipt
手工	shǒu gōng	手作りの, 手工(しゅこう, syukou)	수공(手工)	handmade
手术	shǒushù	手術 (しゅじゅつ, shujutsu)	수술(手術)	surgery
手套	shǒutào	手袋 (てぶくろ, tebukuro)	장갑	gloves
手续	shǒuxù	手続き (てつづき, tetsuzuki)	절차, 수속(手續)	procedure
手指	shǒuzhǐ	指 (ゆび, yubi)	손가락	finger
首	shǒu	頭 (あたま, atama)	머리	head
寿命	shòu mìng	寿命 (じゅみょう, jumyou)	수명(壽命)	lifespan

受伤	shòu shāng	負傷（ふしょう，fushou）	상처를 입다, 부상을 당하다	injury
书架	shūjià	本棚（ほんだな，hondana）	책장	bookshelf
梳子	shūzi	くし（kushi）	빗	comb
舒适	shūshì	心地よい，快適(かいてき，kaiteki)な	기분이 좋다, 쾌적하다, 편하다	comfortable
输入	shūrù	輸入（ゆにゅう，yunyu）	입력, 수입(輸入), 들여보내다	enter, import
蔬菜	shūcài	野菜（やさい，yasai）	야채	vegetables
熟练	shúliàn	熟練（じゅくれん，jukuren）	숙련(熟練)	proficient
属于	shǔyú	～に属する（ぞくする，zokusuru）	(의 범위)에 속하다	belong to
鼠标	shǔbiāo	マウス（mausu）	마우스	mouse
数	shù	数（かず，kazu）	수(數)	number
数据	shùjù	データ（deeta）	데이터, 통계 수치	data
数码	shùmǎ	デジタル（dejitaru）	디지털	digital
摔倒	shuāidǎo	転倒（てんとう，tentou）	엎어지다, 넘어지다	fall
甩	shuǎi	放る，振り捨てる，振り回す，振る（ふる，furu）	흔들다, 뿌리다, 벗다	throw
双方	shuāng fāng	双方(そうほう)，両方（りょうほう，ryouhou）	쌍방(雙方)	both sides
税	shuì	税金（ぜいきん，zeikin）	세금	tax
说不定	shuōbu dìng	はっきりと言えない，～かもしれない（kamosirenai）	단언하기가 어렵다, ~일지도 모른다, 아마~일 것이다.	perhaps, maybe, can't say for sure

说服	shuōfú	説得 (せっとく, settoku)	설득, 설복하다	persuade
丝绸	sīchóu	シルク, 絹(きぬ, kinu)	비단	silk
丝毫	sīháo	少しも (すこしも, sukosimo)	사호, 추호, 아주 적은 수량	in the slightest
私人	sīrén	プライベートな, 個人(こじん, kojin)の	개인, 민간	private, personal
思考	sīkǎo	思考 (しこう, shikou)	사고(思考)	thinking
思想	sīxiǎng	思想 (しそう, shisou)	사상(思想)	thought
撕	sī	引き破る (ひきやぶる, hikiyaburu)	찢다	tear
似乎	sìhū	～のようである, ～らしい(rasii)	마치 (~인 것 같다)	perhaps, apparently
搜索	sōusuǒ	搜索(そうさく, sousaku)	수색(搜索)	search
宿舍	sùshè	寮 (りょう, ryou)	기숙사	dormitory
随身	suíshēn	身につけて(みにつけて, minitsukete)	몸에 지내다, 휴대하다	to (carry) on one's person
随时	suíshí	随時(ずいじ), いつでも (itsudemo)	수시(随時)로, 아무때나, 그 때 즉시	anytime
随手	suíshǒu	ついつい, 手当たり次第に, ついでに(tsuideni)	~하는 김에~하다, 즉시 하다, 손이 가는 대로 하다	on one's way
碎	suì	ばらばらになる, 砕(くだ)ける, 割れる (われる, wareru)	부서지다, 부수다, 깨지다	break, smash, broken
损失	sǔnshī	損失 (そんしつ, sonsitsu)	손실(損失)	loss
缩短	suōduǎn	短縮 (たんしゅく, tanshuku)	단축(短縮)	shorten, cut down, curtail
所	suǒ	場所 (ばしょ, basho)	장소	place

锁	suǒ	錠（じょう，zyou）	자물쇠	lock
台阶	táijiē	段階，助け船，ステップ，石段（いしだん，isidan）	섬돌, 층계, 물러날 길	steo, way out
太极拳	tàijíquán	太極拳（たいきょくけん，taikyokuken）	태극권	tai chi
太太	tàitai	奥さん（おくさん，okusan）	마님	wife, lady, Mrs
谈判	tánpàn	談判（だんぱん），交渉（こうしょう，koushou）	담판(談判), 협상하다	negotiation
坦率	tǎnshuài	率直に（そっちょくに，sotchokuni）	솔직하다, 솔직하게	frank
烫	tàng	熱い，温める，やけどする（yakedosuru）	데다, 화상입다, 데우다, 다리다	ironing, very hot, scald, heat~up
逃	táo	逃げる（にげる，nigeru）	도망치다, 달아나다, 피하다	flee, run away
逃避	táobì	逃避（とうひ，touhi）	도피(逃避)하다	escape
桃	táo	桃（もも，momo）	복숭아	peach
淘气	táoqì	やんちゃな，腕白な（わんぱくな，wanpakuna）	장난이 심하다, 성가시게 하다	naughty
讨价还价	tǎojià huánjià	値段の駆け引きする（かけひきする，kakehikisuru）	흥정하다	bargaining
套	tào	かぶせる，カバー（kaba）	덮개, 커버	cover, convention, trap
特色	tèsè	特色（とくしょく），特徴（とくちょう，tokuchou）	특색(特色)	feature
特殊	tèshū	特殊（とくしゅ，tokushu）	특수(特殊)	special
特征	tèzhēng	特徴（とくちょう，tokuchou）	특징(特徵)	characteristic

疼爱	téng'ài	可愛がる (かわいがる, kawairu)	애지중지하다, 매우 귀여워하다	dote on, love, dearly
提倡	tíchàng	提唱(ていしょう, teisyou)	제창(提唱)	advocate
提纲	tígāng	要点, 要綱, 提要 (ていよう, teiyou)	개요, 대강, 제강(提綱), 촬영 대본	outline, synopsis
提问	tíwèn	質問 (しつもん, shitsumon)	질문	question
题目	tímù	題目(だいもく), 問題 (もんだい, mondai)	표제, 제목(題目), (시험의)문제	title, question
体会	tǐhuì	体得する (たいとくする, taitokusuru)	체득하다, 이해하다	come to understand, understanding
体贴	tǐtiē	思いやる (おもいやる, omoiyaru)	자상하게 돌보다, 살뜰히 보살피다	thoughtful, show consideration for
体现	tǐxiàn	体現(たいげん, taigen)	체현(體現)하다, 구현하다	manifest, embody
体验	tǐyàn	体験 (たいけん, taiken)	체험(體驗)	experience
天空	tiānkōng	天空(てんくう), 空 (そら, sora)	하늘, 천공(天空)	sky
天真	tiānzhēn	天真(てんしん), 無邪気な (むじゃきな, mujyakina)	천진(天眞)하다	innocent
调皮	tiáopí	やんちゃな, いたずら(itazura)好きな	장난치다, 까불다, 말을 잘 듣지 않다	playful, naughty, unruly
调整	tiáozhěng	調整 (ちょうせい, chousei)	조절, 조정(調整)하다	adjust
挑战	tiǎozhàn	挑戦 (ちょうせん, chousen)	도전(挑戰)	challenge
通常	tōngcháng	通常 (つうじょう, tsuujou)	통상(通常)	usually

统一	tǒngyī	統一（とういつ, touitsu）	통일(統一)	unification
痛苦	tòngkǔ	苦痛（くつう），苦しみ（くるしみ, kurushimi）	고통(苦痛), 괴롭다	suffering, painful
痛快	tòngkuài	痛快（つうかい）な（tsuukaina）	즐겁다, 통쾌(痛快)하다, 시원스럽다	delight, joyful, straightforward, to one's heart's content
偷	tōu	盗む（ぬすむ, nusumu）	훔치다	steal
投入	tóurù	投入（とうにゅう, tounyu）	투입(投入)하다, 뛰어들다, 돌입하다	engrossed, put ... in, throw oneself into
投资	tóuzī	投資（とうし, toushi）	투자(投資)	investment
透明	tòumíng	透明（とうめい, toumei）	투명(透明)	transparent
突出	tūchū	突き破って出る，突出（とっしゅつ, tosshutsu）	돌출(突出), 돌파하다, 뚫다	protrude, give prominence to, noticeable
土地	tǔdì	土地（とち, tochi）	땅, 토지(土地)	land
土豆	tǔdòu	じゃがいも（jagaimo）	감자	potato
吐	tù	吐く（はく, haku）	토하다	vomit
兔子	tùzi	うさぎ(usagi)	토끼	rabbit
团	tuán	集まる，丸い，団体（だんたい, dantai）	단체, 둥글다, 덩어리	group, ball, regiment
推辞	tuīcí	断る（ことわる, kotowaru）	거절하다, 사양하다	decline
推广	tuīguǎng	押し広める（おしひろめる, osihiromeru）	널리 보급하다, 확충하다, 일반화하다	promotion
推荐	tuījiàn	推薦（すいせん, suisen）	추천(推薦)	recommend
退	tuì	退く（しりぞく, shirizoku）	물러나다	retreat, quit, cause ... to withdraw

退步	tuìbù	退步（たいほ，taiho）	퇴보(退步)하다	regression, lag behind, give way
退休	tuìxiū	退職（たいしょく，taishoku）	퇴직하다	retirement
歪	wāi	曲がった，ゆがんだ，歪む（いがむ，yugamu）	비스듬하다, 비뚤다, 바르지 못하다, 기울이다	warp, slanting, devious, incline
外公	wàigōng	母方の祖父（そふ，sofu）	외할아버지	maternal grandfather
外交	wàijiāo	外交（がいこう，gaikou）	외교(外交)	diplomacy
完美	wánměi	完璧な（かんぺきな，kanpekina）	완미하다, 완벽하다, 매우 훌륭하다	perfect
完善	wánshàn	完全である（かんぜんである，kangendearu）	완전하다, 완선하다	complete, perfect
完整	wán zhěng	完全な（かんぜんな，kanzenna）	완정하다, 제대로 갖추어져 있다, 보전하다	complete
玩具	wánjù	おもちゃ（omocha）	장난감	toy
万一	wànyī	万一（まんいち，man'ichi）	만일(萬一), 만에 하나라도	if
王子	wángzǐ	王子（おうじ，ouji）	왕자(王子)	prince
网络	wǎngluò	ネットワーク，インターネット（intānetto）	네트워크, 인터넷	internet
往返	wǎngfǎn	往復（おうふく，ouhuku）	왕복(往復)	round trip, come and go
危害	wēihài	危害（きがい，kigai）	위해(危害), 해를 끼치다	harm

威胁	wēixié	威脅（いきょう，ikyou）	위협(威脅)	threat
微笑	wēixiào	微笑（びしょう，bishou）	미소(微笑)	smile
违反	wéifǎn	違反（いはん，ihan）	위반(違反)	violation
围巾	wéijīn	スカーフ（sukāfu）	목도리	scarf
围绕	wéirào	取り囲む（とりかこむ，torikakomu）	둘러싸다	surround, revolve around, center
唯一	wéiyī	唯一（ゆいいつ，yuiitsu）	유일(唯一)한	only
维修	wéixiū	補修する，修理（しゅうり，shūri）	수리, 보수하다	repair
伟大	wěidà	偉大（いだい，idai）	위대(偉大)하다	great
尾巴	wěiba	しっぽ（しっぽ，shippo）	꼬리	tail
委屈	wěiqu	残念に思う，悔しい（くやしい，kuyashii）	억울하다, 억울하게 하다	wronged, aggrieved, unjust treatment
未必	wèibì	必ずしも～ない（かならずしも～ない，kanarazushimonai）	반드시~한 것은 아니다	not necessarily
未来	wèilái	未来（みらい，mirai）	미래(未來)	future
位于	wèiyú	位置する（いちする，ichisuru）	위치하다	be located
位置	wèizhì	位置（いち，ichi）	위치(位置)	position
胃	wèi	胃（い，i）	위(胃)	stomach
胃口	wèikǒu	食欲（しょくよく，shokuyoku）	식욕	appetite
温暖	wēnnuǎn	温暖（おんだん），温かい（あたたかい，atatakai）	온난(溫暖), 따뜻하다	warm
温柔	wēnróu	温柔（おんじゅう），優しい（やさしい，yasashii）	부드럽고 순하다, 온유(溫柔)하다	gentle

文件	wénjiàn	文書（ぶんしょ, bunsyo）	문서, 문건(文件)	document
文具	wénjù	文具（ぶんぐ, bungu）	문구(文具)	stationery
文明	wénmíng	文明（ぶんめい, bunmei）	문명(文明)	civilization
文学	wénxué	文学（ぶんがく, bungaku）	문학(文學)	literature
文字	wénzì	文字（もじ, moji）	문자(文字)	character
闻	wén	聞く（きく, kiku）	듣다	hear
吻	wěn	唇, 口づけする, キス（kisu）	입술, 입맞춤하다	kiss, lip, mouth
稳定	wěndìng	安定（あんてい, antei）	안정하다, 가라앉히다	steady, settle
问候	wènhòu	挨拶(あいさつ, aisatsu)する	안부를 묻다	send regards to
卧室	wòshì	寝室（しんしつ, shinshitsu）	침실	bedroom
握手	wòshǒu	握手（あくしゅ, akushu）	악수(握手)	handshake
屋子	wūzi	部屋（へや, heya）	방	room
无奈	wúnài	やむをえない, しようがない, 仕方ない（しかたない, shikatanai）	어찌 할 도리가 없다, 그렇지만	helpless, but
无数	wúshù	無数（むすう, musu u）	무수(無數)하다, 잘 모르다	countless
无所谓	wúsuǒ wèi	〜とは言えない, どうでもいい(dou demo ii)	그렇다고 할 수 없다, 상관 없다	it doesn't matter, never mind, be indifferent
武术	wǔshù	武術(ぶじゅつ), 武道（ぶどう, budou）	무술(武術)	martial arts
勿	wù	なかれ, 〜するな（suruna）	~하지 마시오, 해서는 안 된다.	do not

物理	wùlǐ	物理(学) (ぶつり(がく), butsurigaku)	물리(物理), 만물의 이치	physics
物质	wùzhì	物質 (ぶっしつ, busshitsu)	물질(物質)	material things, matter
雾	wù	霧 (きり, kiri)	안개	fog
吸取	xīqǔ	吸い取る, 吸収(きゅうしゅう, kyūshū)する	빨아들이다, 흡수하다	absorb
吸收	xīshōu	吸い込む, 吸収 (きゅうしゅう, kyūshū)	흡수(吸收)	absorption
戏剧	xìjù	演劇, 劇 (げき, geki)	연극, 극, 각본	drama
系	xì	系統 (けいと, keito)	계열, 학과, 계통	system
系统	xìtǒng	系統(けいとう, keitou)	계통(系統), 체계, 시리즈	system
细节	xìjié	細部 (さいぶ, saibu)	세부, 자세한 사정, 세부항목	details
瞎	xiā	でたらめに, 失明する (しつめいする, situmeisuru)	맹목적으로, 근거 없이, 실명하다	blindly, blind, wasted, groundlessly
下载	xiàzài	ダウンロード (daunroodo)	다운로드	download
吓	xià	脅す (おどす, odosu)	놀래다	startle
夏令营	xiàlìngyíng	サマーキャンプ (samaakyampu)	여름 캠프	summer school
鲜艳	xiānyàn	あでやかで美しい, 鮮やかな (あざやかな, azayakana)	(색이) 산뜻하고 아름답다	brightly-colored
显得	xiǎnde	〜なのが目立つ, いかにも〜に見える (ikanimo nimieru)	(상황이) 드러나다, ~하게 보이다	appear

显然	xiǎnrán	はっきりと，明らかに （あきらかに，akirakani)	명백하다, 분명하다	clearly
显示	xiǎnshì	明らかに示す， 表示(ひょうじ，hyouji)する	현시하다, 과시하다, 디스플레이	display
县	xiàn	（行政区画の単位）県 （けん，ken)	현(縣): 성(省) 밑에 속하는 지방 행정구획의 단위	county
现代	xiàndài	現代（げんだい，gendai)	현대(現代)	modern
现实	xiànshí	現実（げんじつ，genjitsu)	현실(現實)	reality
现象	xiàn xiàng	現象（げんしょう，genshou)	현상(現象)	phenomenon
限制	xiànzhì	制限（せいげん，seigen)	제한(制限)	limit
相处	xiāngchǔ	付き合う（つきあう， tsukiau)	함께 지내다	get along
相当	xiāng dāng	相当（そうとう，soutou)	상당(相當), 같다, 대등하다, 적당하다	quite, appropriate, match
相对	xiāngduì	相対(そうたい，soutai)	상대(相對)적이다, 서로 대립이 되다	relative, be opposite, comparative
相关	xiāng guān	相関(そうかん)，関連 （かんれん，kanren)	관련, 상관(相關)되다	related
相似	xiāngsì	似ている（にている， niteiru)	닮다, 비슷하다	similar
香肠	xiāng cháng	ソーセージ（sooseeji)	소시지	sausage
享受	xiǎng shòu	享受(きょうじゅ)，楽しむ （たのしむ，tanoshimu)	향수(享受)하다, 누리다, 즐기다	enjoy
想念	xiǎng niàn	懐かしむ（なつかしむ， natsukashimu)	그리워하다	miss

想象(像)	xiǎng xiàng	想像 (そうぞう, souzou)	상상(想像)	imagine
项	xiàng	うなじ, 項 (こう/うなじ, kou/unazi)	항목, 목(덜미)	item, sum, nape
项链	xiàngliàn	ネックレス (nekkuresu)	목걸이	necklace
项目	xiàngmù	項目 (こうもく, koumoku)	항목(項目)	project, item
象棋	xiàngqí	中国将棋 (しょうぎ, syougi)	장기	Chinese chess
象征	xiàng zhēng	象徴 (しょうちょう, shouchou)	상징(象徵)	symbol, symbolize
消费	xiāofèi	消費 (しょうひ, shouhi)	소비(消費)	consumption
消化	xiāohuà	消化 (しょうか, shouka)	소화(消化)	digestion
消极	xiāojí	消極的 (しょうきょくてき, shoukyokuteki)	소극(消極)적이다, 부정적인	negative
消失	xiāoshī	消える (きえる, kieru)	사라지다, 없어지다	disappear, vanish
销售	xiāoshòu	販売(はんばい, hanbai)する	판매하다, 팔다	sell
小麦	xiǎomài	小麦 (こむぎ, komugi)	밀, 소맥(小麥)	wheat
小气	xiǎoqì	ケチ(kechi)である	인색하다, 옹졸하다	stingy, petty
孝顺	xiàoshùn	親孝行(おやこうこう, koukou)をする	효도하다	filial piety
效率	xiàolǜ	効率 (こうりつ, kouritsu)	효율(效率)	efficiency
歇	xiē	休む (やすむ, yasumu)	쉬다, 멈추다	rest, stop
斜	xié	斜め(ななめ, naname)になった	기울다, 비스듬하다	slanting, slant
写作	xiězuò	文章を書く, 創作 (そうさく, sousaku)	글을 짓다, 저작하다, (문예)작품	writing
血	xuè	血 (ち, chi)	피	blood

127

心理	xīnlǐ	心理（しんり, shinri）	심리(心理)	psychology
心脏	xīnzàng	心臓（しんぞう, shinzou）	심장(心臟)	heart
欣赏	xīnshǎng	鑑賞する（かんしょうする, kanzyousuru）	감상하다, 좋다고 여기다	appreciation
信号	xìnhào	信号（しんごう, shingou）	신호(信號)	signal
信任	xìnrèn	信任（しんにん, shinnin）	신임(信任)	trust
行动	xíng dòng	行動（こうどう, koudou）	행동(行動)	action
行人	xíngrén	行人（こうじん），歩行者（ほこうしゃ, hokousha）	행인(行人)	pedestrian
行为	xíngwéi	行為（こうい, koui）	행위(行爲)	behavior
形成	xíng chéng	形成（けいせい, keisei）	형성(形成)	formation
形容	xíngróng	形容（けいよう, keiyou）	형용(形容)	describe
形式	xíngshì	形式（けいしき, keishiki）	형식(形式)	form
形势	xíngshì	なりゆき，形勢（けいせい, keisei）	형세(形勢), 기세, 형편	situation
形象	xíng xiàng	形象(けいしょう），イメージ（imeeji）	(구체적인) 형상(形象), 이미지	image
形状	xíng zhuàng	形状（けいじょう, keijou）	형상(形狀), 물체의 외관	shape
幸亏	xìngkuī	幸いにも（さいわいにも, saiwainimo）	다행이, 운 좋게	fortunately
幸运	xìngyùn	幸運（こううん, kouun）	행운(幸運)	luck
性质	xìngzhì	性質（せいしつ, seishitsu）	천성, 성격, 성질(性質)	nature
兄弟	xiōngdì	兄弟（きょうだい, kyoudai）	형제(兄弟)	sibling
胸	xiōng	胸（むね, mune）	가슴	chest

休闲	xiūxián	休耕，のんびり過ごす，レジャー（rejaa）	(경작지)묵히다, 휴식을 즐기다, 여가 활동 하다	leisure
修改	xiūgǎi	修正（しゅうせい, shuusei）	수정(修正)	modify
虚心	xūxīn	虚心(きょしん)，謙虚（けんきょ, kenkyo）	겸허하다, 허심(虚心)	humble
叙述	xùshù	敍述（じょじゅつ, zyouzyutsu）	서술(敍述)	narration, describe
宣布	xuānbù	宣布(せんぷ)，宣言（せんげん, sengen）	선포(宣布)하다, 선언하다	declare, announce
宣传	xuān chuán	宣伝（せんでん, senden）	선전(宣傳)하다	publicity, disseminate
学历	xuélì	学歴（がくれき, gakureki）	학력(學歷)	education
学术	xuéshù	学術（がくじゅつ, gakujutsu）	학술(學術)	academic
学问	xuéwèn	学問（がくもん, gakumon）	학문(學問)	knowledge
寻找	xúnzhǎo	探す（さがす, sagasu）	찾다	search
询问	xúnwèn	尋ねる（たずねる, tazuneru）	알아보다, 문의하다	inquiry, ask
训练	xùnliàn	訓練(くんれん)，トレーニング（toreeningu）	훈련(訓練)	training
迅速	xùnsù	迅速（じんそく, jinsoku）	신속(迅速)	swift
押金	yājīn	保証金（ほしょうきん, hoshoukin）	보증금	deposit
牙齿	yáchǐ	歯（は, ha）	이	tooth
延长	yán cháng	延長（えんちょう, enchou）	연장(延長)	extension
严肃	yánsù	厳粛（げんしゅく, genshuku）	엄숙(嚴肅)	serious

演讲	yǎnjiǎng	講演（こうえん, kouen)	강연(講演)	lecture
宴会	yànhuì	宴会（えんかい, enkai)	연회(宴會)	banquet
阳台	yángtái	ベランダ（beranda)	베란다	balcony
痒	yǎng	かゆい（kayui)	가렵다	itchy
样式	yàngshì	様式（ようしき, yousiki)	양식(樣式)	style
腰	yāo	腰（こし, kosi)	허리	waist
摇	yáo	振る，揺れる（ゆれる, yureru)	흔들다	shake
咬	yǎo	噛む（かむ, kamu)	물다	bite
要不	yàobù	〜するか、または〜する，なんなら，そうでなければ，さもなくば（samonakuba)	그렇지 않으면, ~하거나~하든지	otherwise
业务	yèwù	業務（ぎょうむ, gyoumu)	업무(業務)	business, profession
业余	yèyú	業務の余暇，アマチュア（amachua)	아마추어의, 여가의	amateurish, spare time
夜	yè	夜（よる, yoru)	밤	night
一辈子	yībèizi	一生（いっしょう, isshou)	일생, 한평생	lifetime, all one's life
一旦	yīdàn	一旦（いったん, ittan)	잠시, 일단(一旦)	once, for now
一律	yīlǜ	一律（いちりつ, ichiritsu)	일률(一律)	same, without exception
一再	yīzài	しばしば，何度も（なんども, nandomo)	반복하여, 몇번이나, 거듭	repeatedly
一致	yīzhì	一致（いっち, icchi)	일치(一致)	consistency
依然	yīrán	依然として（いぜんとして, izen to shite)	의연(依然)하다, 전과 다름이 없다	still
移动	yídòng	移動（いどう, idou)	이동(移動)	move

130

移民	yímín	移民 (いみん, imin)	이민(移民)	immigration
遗憾	yíhàn	遺憾 (いかん, ikan)	유감(遺憾)	regret
疑问	yíwèn	疑問 (ぎもん, gimon)	의문(疑問)	doubt
乙	yǐ	乙 (おつ, osu)	을(乙)	second
以及	yǐjí	さらに, 並びに, 及び (および, oyobi)	및, 그리고, 아울러, ...까지	and
以来	yǐlái	以来 (いらい, irai)	이래(移來)	since
亿	yì	億 (おく, oku)	억(億)	hundred million
义务	yìwù	義務 (ぎむ, gimu)	의무(義務)	duty
议论	yìlùn	議論 (ぎろん, giron)	의논(議論)	discussion
意外	yìwài	意外 (いがい, igai)	의외(意外)	unexpected
意义	yìyì	意義 (いぎ, igi)	의의(意義)	meaning
因而	yīn'ér	したがって (shitagatte)	따라서, 그러므로	therefore
因素	yīnsù	要素, 要因 (よういん, youin)	조건, 원인, 요소(要素)	factor
银	yín	銀 (ぎん, gin)	은	silver
印刷	yìnshuā	印刷 (いんさつ, insatsu)	인쇄(印刷)	printing
英俊	yīngjùn	英俊(えいしゅん), 才能がすぐれている (zainougasurureteiru)	영준(英俊)하다, 영민하고 준수하다	handsome
英雄	yīng xióng	英雄 (えいゆう, eiyuu)	영웅(英雄)	hero
迎接	yíngjiē	迎接 (げいせつ), 迎える (むかえる, mukaeru)	영접(迎接)하다	welcome
营养	yíngyǎng	栄養 (えいよう, eiyou)	영양(營養)	nutrition
营业	yíngyè	営業 (えいぎょう, eigyou)	영업(營業)	business
影子	yǐngzi	影 (かげ, kage)	그림자	shadow

131

应付	yìngfù	ごまかす，対処する，処理（しょり，shori）	대처하다, 대응하다, 얼버무리다	deal with, do half-heartedly, make do with
应用	yìngyòng	応用（おうよう，ouyou）	응용(應用)	application
硬	yìng	硬い（かたい，katai）	딱딱하다	hard
硬件	yìngjiàn	ハードウェア（haadouea）	하드웨어, 기계 설비	hardware, equipment
拥抱	yōngbào	抱擁（ほうよう，houyou）	포옹(抱擁)	hug
拥挤	yōngjǐ	込み合う，混雑(こんざつ，konzatsu) している	혼잡하다, 한데 모이다	crowded
勇气	yǒngqì	勇気（ゆうき，yuuki）	용기(勇氣)	courage
用功	yòng gōng	一生懸命勉強する（べんきょうする，benkyou suru）	열심히 공부하다, 힘써 배우다	hardworking, study hard
用途	yòngtú	用途（ようと，youto）	용도(用途)	use/purpose
优惠	yōuhuì	プライム，優遇（ゆうぐう，yuuguu）	우대, 특혜의, 수수료	preferential
优美	yōuměi	優美（ゆうび，yuubi）	우미(優美), 뛰어나게 아름다움	beautiful
优势	yōushì	優勢（ゆうせい，yuusei）	우세(優勢)	advantage
悠久	yōujiǔ	悠久（ゆうきゅう，yuukyuu）	유구(悠久)	long-lasting
犹豫	yóuyù	迷う（まよう，mayou）	망설이다	hesitate
油炸	yóuzhá	揚げる（あげる，ageru）	튀기다	deep-fry, fry
游览	yóulǎn	遊覧（ゆうらん，yuran）	유람(遊覽)	sightseeing
有利	yǒulì	有利（ゆうり，yuuri）	유리(有利)	advantageous
幼儿园	yòuér yuán	幼稚園（ようちえん，youchien）	유치원, 유아원	kindergarten
娱乐	yúlè	娯楽（ごらく，goraku）	오락(娛樂)	entertainment

与其	yǔqí	〜よりも〜のほうが (yourimo no houga)	~하기 보다는, ~하느니 (차라리).	rather than
语气	yǔqì	口ぶり, 語気（ごき, goki）	말투, 어투, 어기(語氣)	tone/mood
玉米	yùmǐ	トウモロコシ (toumorokoshi)	옥수수	corn
预报	yùbào	予報（よほう, yohou）	예보(豫報)	forecast
预订	yùdìng	予約（よやく, yoyaku）	예약	reservation
预防	yùfáng	予防（よぼう, yobou）	예방(豫防)	prevention
元旦	yuándàn	元旦（がんたん, gantan）	원단(元旦), 설날	new year's day
员工	yuan gōng	従業員（じゅうぎょういん, juugyouin）	종업원	staff
原料	yuánliào	原料（げんりょう, genryou）	원료(原料)	raw material
原则	yuánzé	原則（げんそく, gensoku）	원칙(原則)	principle
圆	yuán	丸い（まるい, marui）	둥글다, 원	round
愿望	yuan wàng	願望（がんぼう, ganbou）	원망(願望) 원하고 바람	wish
乐器	yuèqì	楽器（がっき, gakki）	악기(樂器)	musical instrument
晕	yūn	目がくらむ（めがくらむ, me gakuramu）	어지럽다, 어찔어찔하다	dizzy
运气	yùnqì	運（うん, un）	운, 운세	luck
运输	yùnshū	運輸（うんゆ, unyu）	운수(運輸)	transport
运用	yùnyòng	運用（うんよう, un'you）	운용(運用)	utilize
灾害	zāihài	災害（さいがい, saigai）	재해(災害)	disaster
再三	zàisān	何度も（なんども, nandomo）	재삼, 여러 번	again and again

在乎	zàihu	問題にする，気にかける （きにかける，ki ni kakeru）	~에 달려 있다, 문제삼다, 신경 쓰다	care about
在于	zàiyú	〜のためである， 〜にかかっている（ni kakatte iru）	~에 있다, ~에 달려있다	depend on
赞成	zàn chéng	賛成（さんせい，sansei）	찬성(贊成)	approve
赞美	zànměi	賛美（さんび，sanbi）	찬미(贊美)	praise
糟糕	zāogāo	大変だ，しまった，ひどい （hidoi）	못쓰게 되다, 아뿔싸	terrible
造成	zào chéng	造成（ぞうせい），引き起こす （ひきおこす，hikiokosu）	조성(造成)하다, 만들다, 초래하다	cause
则	zé	規範（きはん，kihan）	규범, 규칙, 등급	rule, standard
责备	zébèi	責める，非難（ひなん， hinan）する	책망하다, 탓하다	blame
摘	zhāi	取る，はずす（hazusu）	따다, 뽑아내다	pick
窄	zhǎi	狭い（せまい，semai）	좁다, 옹졸하다	narrow, narrow-minded
粘贴	zhāntiē	貼る（はる，haru）	붙이다	paste
展开	zhǎn kāi	展開（てんかい，tenkai）	전개(展開), 펴다	unfold
展览	zhǎn lǎn	展覧（てんらん），展示 （てんじ，tenji）	전람(展覽), 전시하다	exhibition
占	zhàn	占める（しめる，shimeru）	차지하다	occupy
战争	zhàn zhēng	戦争（せんそう，sensou）	전쟁(戰爭)	war
长辈	zhǎng bèi	先輩，目上（めうえ，meue）	연장자, 손윗사람	elder
涨	zhǎng	（物価や水位が）高くなる （takakunaru）	(값이)오르다	rise

掌握	zhǎng wò	掌握する（しょうあくする, syouaku suru）	장악(掌握)하다, 파악하다, 지배하다	control
账户	zhàng hù	アカウント（akaunto）	계좌	account
招待	zhāo dài	招待する（しょうたいする, shoutai suru）	초대(招待)하다	invite
着火	zháo huǒ	着火する（ちゃっかする, chakka suru）	불을 붙이다	ignite, catch fire
着凉	zháo liáng	風邪をひく（kazewohiku）	감기에 걸리다	catch a cold
召开	zhào kāi	開催する（かいさいする, kaisai suru）	(회의를) 열다, 소집하다	convene
照常	zhào cháng	通常通り（つうじょうどおり, tsuujou doori）	평소와 같다	as usual
哲学	zhé xué	哲学（てつがく, tetsugaku）	철학(哲學)	philosophy
针对	zhēn duì	～を目安(めやす)として ～を対象(たいしょう, taishou)として	견주다, 겨누다, 조준하다	targeted, be aimed at, have ... in mind
珍惜	zhēn xī	大切にする（たいせつにする, taisetsu ni suru）	소중히 여기다	cherish, value
真实	zhēn shí	真実（しんじつ, shinjitsu）	진실(眞實)	real
诊断	zhěn duàn	診断（しんだん, shindan）	진단(診斷)	diagnosis
阵	zhèn	陣（じん, jin）	진(陣)	battle formation, position
振动	zhèn dòng	振動（しんどう, shindou）	진동(振動)	vibration
争论	zhēng lùn	爭論(そうろん), 論争（ろんそう, ronsou）	논쟁, 쟁론(爭論)	argument

135

争取	zhēng qǔ	勝ち取る (kachitoru)	쟁취(爭取)하다, ~을 목표로 노력하다	strive for
征求	zhēng qiú	（広告などで）求める （もとめる, iken o motomeru)	널리 구하다, 모집하다	solicit
睁	zhēng	眼を開ける（めをあける, me o akeru)	눈을 뜨다	open (eyes)
整个	zhěng gè	全体（ぜんたい, zentai)	전체	whole
整齐	zhěng qí	整然としている, 整齐 （せいせい, seisei)	정연하다, 질서 있다, 정제(整齊)하다, 고르다	neat, orderly, even
整体	zhěng tǐ	全体（ぜんたい, zentai)	전체	whole
正	zhèng	正しい（ただしい, tadasii)	곧다, 바르다, 중간의	straighten, straight, main
证件	zhèng jiàn	証明書（しょうめいしょ, shoumeisho)	증서, 증명서, 증거서류	id/document
证据	zhèng jù	証拠（しょうこ, shouko)	증거(證據)	evidence
政府	zhèng fǔ	政府（せいふ, seifu)	정부(政府)	government
政治	zhèng zhì	政治（せいじ, seiji)	정치(政治)	politics
挣	zhèng	必死になって振り払う, 稼ぐ （かせぐ, kasegu)	필사적으로 애쓰다, 일하여 벌다	earn
支	zhī	支える（ささえる, sasaeru)	받치다, 지탱하다	support, branch, prop~up, raise
支票	zhī piào	小切手（こぎって, kogitte)	수표	check (bank)
执照	zhí zhào	ライセンス（raisensu)	면허증	license
直	zhí	まっすぐな, 直接 （ちょくせつ, chokusetsu)	곧다, 바르다, 직접	direct

指导	zhǐ dǎo	指導 （しどう, shidou）	지도(指導)	guidance
指挥	zhǐ huī	指揮 （しき, shiki）	지휘(指揮)	conductor
至今	zhì jīn	今に至るまで，いまだに，現在でも （げんざいでも, genzaidemo）	지금(至今)까지, 오늘에 이르다	until now, so far
至于	zhì yú	～に至っては （～にいたって, ni itatte）	~한 결과에 달하다, ~로 말하면, ~에 관해서	as to
志愿者	zhì yuàn zhě	ボランティア （borantia）	자원봉사자, 지원자(志願者)	volunteer
制定	zhì dìng	制定 （せいてい, Seitei）	제정(制定), 만들다	formulate, draw ... up
制度	zhì dù	制度 （せいど, Seido）	제도(制度)	system
制造	zhì zào	製造 （せいぞう, seizou）	제조(製造)	manufacture
制作	zhì zuò	制作 （せいさく, seisaku）	제작(製作)	produce
治疗	zhì liáo	治療 （ちりょう, chiryou）	치료(治療)	treatment
秩序	zhì xù	秩序 （ちつじょ, chitsujo）	질서(秩序)	order
智慧	zhì huì	知恵·智慧 （ちえ, chie）	지혜(智慧)	wisdom
中介	zhōng jiè	仲介 （ちゅうかい, chuukai）	중개	intermediary
中心	zhōng xīn	中心 （ちゅうしん, chuushin）	중심(中心)	center
中旬	zhōng xún	中旬(ちゅうじゅん), 月半ば （つきなかば, tsuki nakaba）	중순(中旬)	middle of month
种类	zhǒng lèi	種類 （しゅるい, shurui）	종류(種類)	category
重大	zhòng dà	重大 （じゅうだい, juudai）	중대(重大)	significant
重量	zhòng liàng	重量(じゅうりょう), 重さ （おもさ, omosa）	무게, 중량(重量)	weight

周到	zhōu dào	周到(しゅうとう), 注意深い (ちゅういぶかい, chuui bukai)	주도(周到)하다, 세심하다, 꼼꼼하다	thoughtful, thorough
猪	zhū	ぶた (buta)	돼지	pig
竹子	zhúzi	竹 (たけ, take)	대나무	bamboo
逐步	zhúbù	一歩一歩, 徐々に (じょじょに, jojo ni)	한 걸음 한 걸음, 차츰차츰	gradually, step by step
逐渐	zhújiàn	次第に, だんだん, 徐々に (じょじょに, jojo ni)	점차, 점점	gradually
主持	zhǔchí	主催する (しゅさいする, shusai suru)	주관하다, 옹호하다	host
主动	zhǔdòng	能動的に, 主動 (しゅどう, syudou)	주동(主動), 능동적이다	voluntary
主观	zhǔguān	主観的 (しゅかんてき, shukan teki)	주관(主觀)적이다	subjective
主人	zhǔrén	主人 (しゅじん, shujin)	주인(主人)	owner/master
主任	zhǔrèn	主任 (しゅにん, syunin)	주임(主任)	head/leader
主题	zhǔtí	主題 (しゅだい, syudai)	주제(主題)	theme
主席	zhǔxí	主席 (しゅせき, shuseki)	주석(主席)	chairman/leader
主张	zhǔ zhāng	主張 (しゅちょう, shuchou)	주장(主張)	advocate
煮	zhǔ	煮る (にる, niru)	끓이다, 삶다	boil
注册	zhù cè	登録する (とうろくする, touroku suru)	등록하다	register, enroll
祝福	zhùfú	祝福 (しゅくふく, shukufuku)	축복(祝福)	blessing
抓	zhuā	つかむ (tsukamu)	잡다, 긁다, 할퀴다	grab, scratch, catch

抓紧	zhuā jǐn	物事を）しっかりとする, しっかりとつかむ (sitkarito tsukamu)	꽉 쥐다, 다그치다.	grasp firmly, make the most of
专家	zhuān jiā	専門家（せんもんか, senmonka)	전문가	expert
专心	zhuān xīn	専心している (せんしんしている, sensin siteiru)	전심(專心)하다, 몰두하다, 전념하다	concentrate
转变	zhuǎn biàn	変わる, 変化（へんか, henka)	(점점) 바뀌다, 전환하다, 전향하다	change
转告	zhuǎn gào	伝える（つたえる, tsutaeru)	전하다, 전언하다	pass on
装	zhuāng	装う（よそう, yosou)	치장하다, 분장하다, 복장	dress/equip
装饰	zhuāng shì	装飾（そうしょく, soushoku)	장식(裝飾)	decoration
装修	zhuāng xiū	リフォーム（rifoomu)	(집의) 내장 공사 하다	renovation
状况	zhuàng kuàng	状況（じょうきょう, joukyou)	상황(狀況), 형편	condition
状态	zhuàng tài	状態(じょうたい, zyoutai)	상태(狀態)	status, condition
撞	zhuàng	ぶつかる, 衝突する (しょうとつする, shoutotsu suru)	부딪치다, 우연히 만나다, 부딪쳐 보다	collide
追	zhuī	追求する, 追う, 追いかける (おいかける, oikakeru)	쫓다, 추적하다, 탐구하다	chase, seek, investigate
追求	zhuīqiú	追求する（ついきゅうする, tsuikyuu suru)	추구(追求)하다	pursue
咨询	zīxún	諮問(しもん, simon)する	자문하다, 상의하다	seek advice from, cosultant

姿势	zīshì	姿勢（しせい，shisei）	자세(姿勢)	posture
资格	zīgé	資格（しかく，shikaku）	자격(資格)	qualification
资金	zījīn	資金（しきん，shikin）	자금(資金)	funds
资料	zīliào	資料（しりょう，siryou）	자료(資料)	information
资源	zīyuán	資源（しげん，sigen）	자원(資源)	resources
紫	zǐ	紫（むらさき，murasaki）	자주색	purple
自从	zì cóng	～より，～から（kara）	~이래, ~부터	since
自动	zì dòng	自発的に，自動（じどう，jidou）	자동(自動)적인, 자발적으로	automatic
自豪	zì háo	誇りに思う（ほこりにおもう，hokori niomou）	자랑으로 여기다, 긍지를 느끼다	proud
自觉	zì jué	自覚（じかく，jikaku）	자각(自覺)하다	self-aware
自私	zì sī	利己的（りこてき，rikoteki）	이기적이다	selfish
自由	zìyóu	自由（じゆう，jiyuu）	자유(自由)	freedom
自愿	zì yuàn	自ら志願する（みずからしがんする，mizukarasigansuru）	자원(自願)하다	voluntary
字母	zìmǔ	字母（じぼ，zibo）	자모(字母)	letter
字幕	zìmù	字幕（じまく，jimaku）	자막(字幕)	subtitle
综合	zōnghé	総合（そうごう，sougou）	종합(綜合)	comprehensive
总裁	zǒngcái	総裁（そうさい，sousai）	총재(總裁)	director
总共	zǒng gòng	合わせて（あわせて，awasete）	모두, 전부, 합쳐서	total
总理	zǒnglǐ	総理（そうり，souri）	총리(總理)	prime minister
总算	zǒng suàn	やっとのことで，どうにか（dounika）	겨우, 간신히, 드디어	finally

总统	zǒng tǒng	総統(そうとう, soutou)	총통(總統)	president
总之	zǒngzhī	とにかく，要するに (ようするに, yousuruni)	요컨대, 한마디로 말하면	in short
阻止	zǔzhǐ	沮止・阻止する（そしせする, soshi suru)	저지(沮止)하다. (阻止:조지)	prevent
组	zǔ	組み合わせる，グループ (guru-pu)	조직하다, 조, 그룹	group, form
组成	zǔchéng	組成する，構成する （こうせいする, kousei suru)	조성(組成), 구성하다, 조직하다, 결성하다	compose, form
组合	zǔhé	組合（くみあい, kumiai)	조합(組合)	combination, constitute
组织	zǔzhī	組織（そしき, soshiki)	조직(組織)	organization
最初	zuìchū	最初（さいしょう, saishou)	최초(最初)	first
醉	zuì	酔う（よう, you)	취하다	get drunk
尊敬	zūnjìng	尊敬（そんけい, sonkei)	존경(尊敬)	respect
遵守	zūnshǒu	遵守する（じゅんしゅする, junshu suru)	준수(遵守)하다	adhere to
作品	zuòpǐn	作品（さくひん, sakuhin)	작품(作品)	work of art
作为	zuòwéi	行い，〜とする，〜として (to shite)	소행, 성과를 내다, ~로 삼다	action, accomplishment, scope
作文	zuòwén	作文（さくぶん, sakubun)	작문(作文)	composition